BOSQUEJOS PARA SERMONES BIBLICOS

James D. Crane

EDITORIAL MUNDO HISPANO

EDITORIAL MUNDO HISPANO
7000 Alabama Street, El Paso, TX 79904, EE. UU. de A.
www.EditorialMundoHispano.org

Nuestra pasión: Comunicar el mensaje de Jesucristo y facilitar la formación de discípulos por medios impresos y electrónicos.

Ediciones: 1996, 1997, 2000, 2002, 2004, 2006, 2007
Octava edición: 2010

Clasificación Decimal Dewey: 251.02

Temas: Sermones - Bosquejos

ISBN: 978-0-311-43048-2
EMH Art. No. 43048

1 M 10 10

Impreso en Colombia
Printed in Colombia

DEDICATORIA

A

La gloriosa hueste de hermanos
que desempeñan
el ministerio de la Palabra
en el idioma español.

Aclaración sobre el texto bíblico empleado en esta obra

Como texto bíblico básico he empleado la *Santa Biblia, Versión Reina-Valera Actualizada* **(RVA)**. El Paso, Texas: Editorial Mundo Hispano, 1989. He citado de otras versiones castellanas cuando me ha parecido que traducen con mayor acierto o sirven para aclarar el sentido. Al hacerlo las he identificado mediante las siguientes abreviaturas:

BA – *La Biblia de las Américas*. Anaheim, California: Editorial Fundación, 1986.

BJ – *Biblia de Jerusalén, Edición Española*. Barcelona: Editorial Española Desclée De Brouwer, S.A., 1967.

B&S – Una versión hecha por A. Cativiela y que aparece en los cuatro tomos de *Comentario Sobre el Nuevo Testamento* por L. Bonnet y A. Schroeder. Buenos Aires: Junta Bautista de Publicaciones, 1924.

N-C – *Nuevo Testamento, Versión de Nácar-Colunga*. Madrid: Biblioteca de Autores Cristianos, 1967.

NP – *Las Escrituras del Nuevo Pacto*. León, Gto., México: Casa Bautista de Publicaciones, 1916.

NVI – *El Nuevo Testamento, Nueva Versión Internacional*. Tarrasa: Escrituras Completas, 1979.

RV – *La Santa Biblia, Versión Reina-Valera*. Londres: Sociedades Bíblicas Unidas, 1953.

RVR 1960 – *La Santa Biblia, Versión Reina-Valera, Revisión de 1960*. Sociedades Bíblicas en América Latina, 1960.

RVR 1977 – *Santa Biblia, Versión Reina-Valera, Revisión de 1977*. Tarrasa (Barcelona) España: Editorial CLIE, 1979.

TA – *Sagrada Biblia, Versión Castellana de Félix Torres Amat*. El Paso, Texas: Editorial "Revista Católica", 1939.

VE – *Nuevo Testamento, Versión Ecuménica*. Barcelona: Editorial Herder, 1968.

VFR – *Nuevo Testamento, Versión Fuenterrabía Revisada*. Estella (Navarra) España: Editorial Verbo Divino, 1973.

VHA – *El Nuevo Testamento de Nuestro Señor Jesucristo, Versión Hispano-Americana*. Buenos Aires: Sociedades Bíblicas Unidas, sin fecha.

VLA – *El Nuevo Testamento de Nuestro Señor y Salvador Jesucristo, Versión Latinoamericana*. Nueva York: Sociedad Bíblica Americana, 1953.

VM – *La Santa Biblia, Versión Moderna*. Nueva York: Sociedad Bíblica Americana, sin fecha.

VP – *Dios Habla Hoy - La Biblia Versión Popular*. Lugar de publicación no indicada: Sociedades Bíblicas Unidas, 1979.

INDICE

INDICE TEMATICO

Sermones evangelísticos

Sermones misioneros

Sermones de edificación

Sermones sobre la oración

Sermones para predicadores

COMO APROVECHAR MEJOR ESTE LIBRO

Todos los que somos llamados por Dios para predicar su Santa Palabra nos damos cuenta de que nuestra tarea es difícil. Necesitamos ayuda. Una posible fuente de ayuda son los bosquejos de sermones ajenos. Cuando éstos se emplean a manera de trampolín para orientar y fecundizar nuestro propio trabajo, pueden ser de bendición. Pero cuando se empleen como muletas para compensar la falta de disciplina en el estudio, son de dudosa utilidad.

Para aprovechar al máximo el estudio de bosquejos ajenos, necesitamos tener en cuenta la relación que un bosquejo sostiene con el proceso homilético total. Este proceso consiste en las siguientes siete partes que bien podemos designar como *los pasos que dar para predicar*. Dichos pasos son:

1. La preparación de nuestro propio corazón.
2. La determinación de nuestro propósito.
3. La búsqueda de un mensaje bíblico apropiado.
4. La organización de nuestros pensamientos mediante un bosquejo.
5. El revestimiento de nuestros conceptos.
6. La confección del programa para el culto del cual el sermón formará parte.
7. La entrega en manos de Dios de todo lo anterior.

PRIMERO: La preparación de nuestro propio corazón. Como toda otra actividad cristiana, la predicación debe glorificar a Dios (1 Cor. 10:31, 32). Pero los predicadores somos tentados continuamente a glorificarnos a nosotros mismos. Para vencer esta tentación necesitamos recordar dos cosas, y necesitamos orar. Necesitamos recordar tanto la funesta experiencia de un orador secular que se dejó vencer por la vanagloria (Hech. 12:20, 21) como la severa disciplina que tuvo que soportar el apóstol Pablo para evitar que se envaneciera (2 Cor. 12:7).

Es de lamentarse que 2 Corintios 12:7 haya sido traducido incorrectamente en varias versiones del Nuevo Testamento. Según RVA, el propósito del famoso "aguijón en la carne" que tuvo que soportar el apóstol era "para que *no me exalte desmedidamente*... para que *no me enaltezca demasiado*", y según RVR 60, "para que... *no me exaltase desmedidamente*... para que *no me enaltezca sobremanera*". Estas traducciones insinúan que está bien que nos exaltemos un poquito, siempre y cuando "no se nos pase la mano". Pero esto es un trágico error.

El verbo griego en cuestión aparece sólo una vez más en todo el Nuevo Testamento, en 2 Tesalonicenses 2:4, donde se refiere al "hombre de iniquidad, el hijo de perdición" quien "se opondrá y *se alzará* contra todo lo que se llama Dios o que se adora". Significa simplemente "alzarse" o "ensalzarse", sea mucho o poco. Debería traducirse de esta misma manera en 2 Corintios 12:7, como en efecto han hecho las siguientes versiones: "Y para que ... *no me ensalce*" (PB); "para que *no me engríe*" (BJ y N-C); "para que *no me enorgullezca*" (VFR); "para que *no tenga soberbia*" (VE); "para que *no me enalteciera*" (BA); "para que *no me exalte*" (B&S); "para preservarme de *volverme orgulloso*" (NVI); y "para que yo *no presumiera*" (VP).

Mucho nos ayudará a vencer la tentación de envanecernos el orar diariamente de acuerdo con el tenor de Salmos 139:23, 24; 115:1 y 69:5, 6.

SEGUNDO: La determinación de nuestro propósito. Nuestra predicación glorifica a Dios cuando ayuda a los oyentes a encontrar en Cristo la solución de sus necesidades espirituales. Dichas necesidades son de dos tipos generales.

1. Algunos de nuestros oyentes son *pecadores condenados* y necesitan ser ayudados a *creer en Cristo* (Hech. 11:14; 14:1). Suplen esta necesidad:

* Los sermones que evangelizan.

2. Otros de nuestros oyentes son *pecadores perdonados* y necesitan ser ayudados a *crecer en Cristo* (Hech. 18:27, 28). Suplen esta necesidad:

* Los sermones que imparten instrucción doctrinal;
* Los sermones que intensifican la devoción a Dios;
* Los sermones que motivan la consagración de tiempo, talentos, posesiones e influencia al servicio de Dios y del prójimo;

* Los sermones que ayudan para ajustar la conducta diaria a las normas cristianas; y
* Los sermones que levantan el ánimo para sobreponerse a los temores, las luchas, las dudas, las decepciones, las derrotas y las aflicciones de la vida.

Cada uno de los tipos de sermón arriba indicados cumple con *uno de los seis propósitos generales* de la predicación cristiana. El bienestar de cualesquiera congregación local demanda un equilibrio saludable entre sermones de evangelización y sermones de edificación.

A la vez, la efectividad de cualesquier sermón particular demanda *un propósito específico* que:

* Se deriva de alguna necesidad espiritual que existe en la congregación;
* E indica lo que el predicador espera que sus oyentes hagan en respuesta al sermón.

TERCERO: La búsqueda de un mensaje bíblico apropiado. La solución para toda necesidad espiritual se encuentra en la Palabra de Dios. Cuando ésta es entendida y obedecida, no sólo atrae a los perdidos a Cristo para salvación (2 Tim. 3:15; 1 Ped. 1:23), sino que también edifica a los creyentes en el Señor (2 Tim. 3:16, 17; Hech. 20:32). Por tanto, una vez que hayamos identificado la necesidad espiritual que debemos atender en el sermón, el siguiente paso consiste en descubrir un mensaje bíblico apropiado para solucionar dicha necesidad. El encuentro oportuno de tales mensajes nos obliga a:

1. Mantener una disciplina de íntima comunión con el Señor;
2. Conocer bien a la congregación;
3. Seguir diligentemente algún plan de estudio bíblico sistemático; y
4. Disciplinarnos en la aplicación de los principios de la sana interpretación bíblica.

El mensaje bíblico que sea apropiado para solucionar la necesidad espiritual que nos proponemos solucionar mediante nuestro sermón debe formularse de dos maneras:

1. Como *la verdad central.* Esta verdad debe ser formulada como una oración gramatical completa con el verbo en tiempo presente. En los bosquejos que veremos como ejemplos, la verdad central siempre aparece con *letras minúsculas* en itálicas.

2. Como *El TITULO*. Aunque éste puede formularse como una oración gramatical completa (véase nuestro bosquejo sobre Marcos 10:46-52), generalmente se formula como una frase breve e incompleta. En los bosquejos que ofrecemos como ejemplos, los títulos se escriben con *LETRAS MAYUSCULAS* en negritas.

CUARTO: La organización de nuestros pensamientos mediante un bosquejo. Cuando hayamos formulado *la verdad central* de nuestro sermón, el siguiente paso consiste en decidir *desde cuál punto de vista* conviene discutirla. La mejor manera de encontrar el punto de vista más apropiado para cualquier mensaje particular consiste en *hacerle preguntas* a su *verdad central*. Las posibilidades son numerosas, pero algunas de las preguntas más útiles son:

¿Qué significa esto? o *¿En qué consiste esto?* Las respuestas a esta pregunta nos permiten discutir la verdad central (el tema o asunto) del sermón desde el punto de vista de su *significado*.

¿Por qué es esto cierto o falso? Las respuestas a esta pregunta nos permiten discutir la verdad central del sermón desde el punto de vista de las *razones*.

¿Cómo se hace esto? Las respuestas a esta pregunta nos permiten discutir la verdad central del sermón desde el punto de vista de los *medios*.

¿Cuáles fueron las causas de esta situación? Las respuestas a esta pregunta nos permiten discutir la verdad central del sermón desde el punto de vista de las *causas*.

¿Cuáles fueron los efectos, resultados, consecuencias de esta acción o decisión? Las respuestas a esta pregunta nos permiten discutir la verdad central del sermón desde el punto de vista de los *efectos*.

¿Qué dice mi texto acerca de esto? Las respuestas a esta pregunta nos permiten discutir la verdad central del sermón desde el punto de vista del *contenido del texto*.

Esencialmente, todo sermón bien arreglado es la respuesta a una pregunta clave. Cada división principal del bosquejo presenta parte de la respuesta total. En los bosquejos dados como ejemplos, la pregunta clave de cada sermón es la última que aparece en cada introducción.

QUINTO: El revestimiento de nuestros conceptos. El bosquejo de un sermón es algo como el esqueleto osudo de un cuerpo. Es cosa esencial, pero de por sí sólo no constituye un cuerpo completo. Hace falta revestir los huesos con carne, nervios y piel. Y aun entonces todo tiene que ser animado con el soplo de vida. Por tanto, cuando haya formulado un buen bosquejo, todavía le falta revestir las ideas presentadas por cada división principal con los materiales de elaboración que puedan hacer el mayor impacto posible sobre la voluntad de los oyentes.

La predicación cristiana ha sido definida como: "La comunicación verbal de la verdad divina con miras a la persuasión".[1] De acuerdo con esta famosa definición, la meta de nuestra predicación es la de conquistar las voluntades humanas para Dios. La voluntad de una persona es *la ciudadela de su alma.* Como aquellas grandes ciudades amuralladas de la antigüedad, la voluntad de cada persona está rodeada de un muro alto y grueso formado por sus hábitos, sus prejuicios, su indiferencia, su ignorancia, sus compromisos familiares, sociales y comerciales, sus temores, su egoísmo y sus pecados.

En la antigüedad, la muralla de una ciudad ofrecía una defensa casi inexpugnable. Pero tenía un punto vulnerable: sus puertas. Y contra éstas los enemigos concentraban la furia de sus ataques más vigorosos. Así también tiene que hacerse con el muro de defensa que rodea la ciudadela del alma humana. Existen cinco "puertas" por las cuales el predicador tiene que penetrar para lograr que la persona entregue su voluntad a la amorosa voluntad de Dios.

Las cinco puertas de acceso a la voluntad humana son:

* *La puerta del entendimiento.* Esta se abre por medio de explicaciones y ejemplos.

* *La puerta de la razón.* Esta se abre por medio de argumentos y pruebas.

* *La puerta del sentido de necesidad.* Esta se abre por medio de demostraciones del hecho de que Cristo satisface toda necesidad básica del ser humano.

* *La puerta de la conciencia moral, o sea del sentido de deber.* Esta se abre mediante declaraciones claras y compasivas de la verdad bíblica. La Palabra de Dios sigue siendo "espada del Espíritu" (Ef. 6:17) y sigue actuando como "fuego y como el martillo que despedaza la roca" (Jer. 23:29).

* *La puerta de las emociones.* Esta se abre evocando recuerdos,

---

[1] T. Harwood Pattison, *The Making of the Sermon* (La hechura del sermón) Philadelphia: The American Baptist Publication Society, 1941, Pág. 3. Traducción del autor.

avivando la imaginación y compartiendo la profundidad de nuestro propio sentir.

Dos tipos de material de elaboración que son especialmente útiles para persuadir la voluntad de nuestros oyentes son: interpretaciones bíblicas acertadas e ilustraciones interesantes y apropiadas.

Cuando hayamos llegado a este punto en el desarrollo de un sermón, cabe recordar que todo lo comprendido en los pasos cuatro y cinco tiene que ser redondeado con una introducción apropiada y una conclusión persuasiva. La introducción debe captar el interés de la congregación y prepararles para entender el tema. La conclusión debe destacar la necesidad de obedecer la verdad divina que ha sido expuesta en el sermón.

SEXTO: La confección del programa para el culto del cual el sermón formará parte. Cada sermón es parte íntegra de un todo mayor: de un culto de adoración a Dios en que toda la congregación puede y debe participar. Nos reunimos para:

* gozarnos en la comunión de los unos con los otros;
* unirnos en la alabanza y acción de gracias a Dios;
* confesar nuestros pecados al Señor;
* interceder por las necesidades ajenas y pedir por las propias;
* recibir un mensaje de Dios que emane de su Palabra; y
* ofrendar a Dios nuestros recursos materiales y consagrar nuestro tiempo, talentos, fuerzas e influencia a su servicio.

Para que el culto de adoración sea efectivo en el logro de estos objetivos, el predicador tiene que hacer planes definidos y anticipados respecto a cada aspecto del programa.

SEPTIMO: La entrega en manos de Dios de todo lo anterior. Al llegar el momento de tomar su lugar en el púlpito, no tenga miedo. Si con oración y estudio se ha preparado lo mejor posible, confíe en que el Señor le ayudará.

Al principio es posible que tendrá que llevar consigo algunos apuntes breves anotados en un papel que quepa dentro de las páginas de su Biblia. Procure que tales apuntes sean breves (las divisiones principales del bosquejo y alguna cita especial que necesitará leer para no afligir demasiado la memoria). Pero después de algún tiempo espero que se acostumbre a olvidarse de sus apuntes y hablarles a sus oyentes con la mirada puesta en ellos y no en algún pedacito de papel.

A la luz, pues, de estas consideraciones, ofrezco los siguientes bosquejos a mis amados compañeros en el ministerio de la Palabra. Espero que les sirvan a manera de trampolín para orientar y fecundizar su propia elaboración de sermones bíblicos.

LA NATURALEZA OBLIGATORIA DE LAS MISIONES CRISTIANAS

Génesis 1—3

El año 1992 fue notable entre el pueblo hispano por ser el quinto centenario del descubrimiento de América. Entre el pueblo evangélico fue notable también por ser el bicentenario del inicio del movimiento misionero moderno. En 1792 el pastor bautista Guillermo Carey hizo dos cosas que despertaron la conciencia cristiana de su día respecto a la naturaleza obligatoria de las misiones cristianas. Predicó un sermón basado en Isaías 54:2, 3 cuyas divisiones principales fueron: Intenta grandes cosas para Dios, y Espera grandes cosas de Dios. Pero antes de la predicación de aquel sermón había publicado un folleto titulado *Una investigación sobre la obligación de los cristianos de emplear medios para la conversión de los paganos.* En la primera parte del folleto presentó una serie de pruebas del hecho de que la Gran Comisión impone una obligación permanente sobre todos los creyentes.

Desde aquel entonces un continuo énfasis sobre la vigencia de la Gran Comisión ha motivado muchos esfuerzos misioneros, y damos gracias a Dios por ello. *Pero debemos reconocer que la naturaleza obligatoria de las misiones cristianas es un concepto que se deriva también de consideraciones encontradas en los primeros capítulos del libro de Génesis. ¿Cuáles son estas consideraciones?*

I. La primera consideración es que las misiones cristianas son obligatorias para satisfacer la necesidad fundamental del hombre.

A. La necesidad fundamental del hombre está arraigada en el hecho de que es un ser creado, una criatura.
   1. El hombre es una criatura noble y gloriosa porque lleva la imagen de su Creador. Esta imagen le dota de poderes de razonamiento, de emoción, de voluntad propia y de conciencia moral. En todo esto se asemeja a Dios.
   2. Pero como criatura el hombre es también diferente de Dios. El Creador es autosuficiente. Infinito en todas sus perfecciones, no necesita de nada ni de nadie fuera de sí mismo. En contraste, el hombre es un ser necesitado. Necesita de gobierno divino, de compañerismo humano, de sostén material y de ocupación significativa. Todo esto disfrutaba mientras vivía sumiso a la soberanía de Dios.

B. La necesidad fundamental del hombre fue aumentada en la caída. Al rebelarse en contra del gobierno de Dios, el hombre:
   1. Perdió su perfecta comunión con Dios, y le tuvo miedo (Gén. 3:8-10).

2. Dañó su comunión humana al echar la culpa a su esposa (Gén. 3:11, 12).
3. Complicó severamente su sostén material porque la tierra fue maldita (Gén. 3:17); y
4. Trocó la dignidad de administrar el paraíso por el cultivo de un zarzal (Gén. 3:18, 19).

C. La necesidad fundamental del hombre fue suplida potencialmente mediante la redención.
1. La redención fue predicha en la maldición de Satanás (Gén. 3:15).
2. La redención fue tipificada en la provisión de una cobertura para la desnudez de Adán y Eva (Gén. 3:21).
3. La redención fue efectuada por Cristo cuando cumplió tanto lo profetizado como lo tipificado mediante su muerte en la cruz (Juan 1:29; Col. 1:13).

D. La necesidad fundamental del hombre es suplida efectivamente mediante las misiones cristianas.

Porque el hombre es un ser moral responsable y libre, la redención potencial se hace efectiva sólo cuando él es informado de la buena nueva de lo que Dios hizo por él en Cristo, y cuando es persuadido a responder a ella con arrepentimiento y fe (Hech. 20:20, 21).

Aquí se estrellan contra las Escrituras todas las pretensiones del universalismo (Rom. 10:12-15 y Hech. 11:13, 14).

II. La segunda consideración es que las misiones cristianas son obligatorias para manifestar la naturaleza esencial de Dios.

A. La naturaleza esencialmente misionera de Dios se reveló por vez primera en su búsqueda de Adán y Eva después de su pecado (Gén. 3:8, 9).

B. La validez de esta revelación inicial es confirmada a través de la Biblia entera.
1. En declaraciones claras de la actividad divina, tales como: el Padre busca adoradores (Juan 4:23); el Hijo vino a buscar y a salvar (Lucas 19:10); y el Espíritu es enviado para convencer (Juan 16:7-11).
2. En metáforas aplicadas a Dios, tales como: Dios es luz (1 Jn. 1:5; Juan 1:9); Dios es amor (1 Jn. 4:8, 16); Dios es pastor (Sal. 23:1; Juan 10:11, 16).
3. En parábolas de Jesús, particularmente las de Lucas 15.

C. Todo esto contrasta severamente con las religiones falsas, cada una de las cuales presenta a su dios como uno que está recluido en algún lugar “santo” y que dice a una humanidad necesitada y doliente: “Acá estoy; vengan a verme.” Ejemplos son las penosas peregrinaciones promovidas por el Islamismo, el Hinduismo y el Catolicismo Romano. En contraste, el verdadero Dios está perennemente ocupado en la búsqueda activa de los pecadores.

D. Pero la gente nunca sabrá que ésta es la naturaleza esencial del único Dios verdadero si nosotros no nos unimos con él en su búsqueda. Aún se deja oír la voz divina, diciendo: "¿A quién enviaré? ¿Y quién irá por nosotros?" (Isa. 6:8a). ¿Responderemos con el profeta: "Heme aquí, envíame a mí" (Isa. 6:8b)? Si así es, manifestémoslo públicamente mientras la congregación entona el himno *Usa mi vida.*[1]

[1]Ira B. Wilson, "Usa mi vida", Núm. 522 *Himnario Bautista* (El Paso: Casa Bautista de Publicaciones, 1978).

LA RAZON DE SER DEL PUEBLO DE DIOS

Génesis 12

En nuestro sermón anterior vimos que la naturaleza obligatoria de las misiones cristianas es un concepto derivado, no solamente de la Gran Comisión de Cristo, sino también del libro de Génesis. De sus primeros tres capítulos aprendemos que las misiones cristianas son obligatorias, tanto para satisfacer la necesidad fundamental del hombre como para manifestar la naturaleza esencial de Dios. Y al seguir el estudio de Génesis hasta el capítulo 11, observamos que durante aquel período de historia primitiva, mediante actos de redención y de juicio, Dios trataba directamente con la humanidad entera —con Adán, Caín, Enoc, Noé y la generación de Babel. *Pero a partir del capítulo 12 de Génesis Dios empezó a tratar con la humanidad por medio de un pueblo que creó como canal de bendición para el resto del mundo.* ¿En qué eventos bíblicos vemos el progresivo desarrollo de este plan?

I. Vemos la iniciación de este plan en el llamamiento de Abram (Gén. 12:1-3).

A. Dios eligió a Abram, tanto para privilegio (Gén. 12:2a, 3a) como para responsabilidad (Gén. 12:2b, 3b).

B. Dios eligió a Abram con un propósito universal (Gál. 3:8).

1. Hizo énfasis sobre la universalidad de su propósito cuando cambió su nombre de "Abram" ("Padre excelso"), a "Abraham", ("Padre excelso de una multitud") (Gén. 17:5; Gál. 3:9).
2. Confirmó ese propósito universal cuando Abraham intercedió por Sodoma (Gén. 18:16-18) y cuando demostró que amaba a Dios aún más que a Isaac (Gén. 22:17, 18).
3. Recalcó ese propósito universal al canalizarlo por medio de Isaac (Gén. 26:4) y de Jacob (Gén. 28:14). Nótese que Jacob bendijo dos veces al Faraón (Gén. 47:7, 10).

II. Vemos la continuación de este plan en el establecimiento del pacto de Sinaí (Exo. 19:4-6).

A. Las características esenciales del pacto de Sinaí fueron:
   1. Su base—la redención (Exo. 19:4).
   2. Su condición—la obediencia (Exo. 19:5a).
   3. Su privilegio—el de ser para Dios "un pueblo especial entre todos los pueblos" (Exo. 19:5b).
   4. Su responsabilidad—la de ser para Dios "un reino de sacerdotes y una nación santa" (Exo. 19:6).

B. La triste historia del pacto de Sinaí:
   1. Israel lo malentendió (Isa. 49:6).
   2. Israel lo violó repetidas veces: durante el Exodo (Exo. 32:15-19); durante la Conquista (Jos. 7:11); durante el Reino Unido (1 Rey. 11:11); en la provocación del cautiverio de Israel (2 Rey. 18:11, 12); en la provocación del cautiverio de Judá (Jer. 34:17-20); y durante el período de la restauración (Neh. 13:29; Mal. 2:4-10).

III. Vemos la culminación de este plan en el establecimiento del Nuevo Pacto.

A. El nuevo pacto fue prometido y descrito en Jeremías 31:31-34.
   1. Sería interno: "Pondré mi ley en su interior, y la escribiré en su corazón."
   2. Sería individual: "Ya nadie enseñará a su prójimo... pues todos ellos me conocerán."
   3. Sería eficaz: "Yo perdonaré su iniquidad y no me acordaré más de su pecado."

B. El nuevo pacto fue inaugurado por la muerte de Cristo (Luc. 22:20; 1 Cor. 11:25).

C. El nuevo pacto creó un nuevo pueblo de Dios, un pueblo multiracial, como medio de bendición para el mundo entero (1 Ped. 2:9, 10).

Un destacado siervo de Dios fue Guillermo Borders, pastor de la Iglesia Bautista *Wheat Street* en la ciudad de Atlanta, Georgia, EE. UU. de A. Cuando Borders asumió aquel pastorado en 1937, el país aún estaba resintiendo los efectos de la gran depresión económica de principios de la década. Esos efectos fueron peores entre los marginados de la sociedad, como eran la mayoría de la población negra a la cual pertenecían Borders y su congregación. Cerca del templo de su iglesia abundaban las cantinas, los billares y otros centros de vicio frecuentados por hombres sin trabajo a quienes los golpes de la vida y las injusticias sociales les tenían sumidos en la más abyecta desesperación. Borders sintió compasión por ellos, y con permiso de los dueños de aquellos centros de vicio, fijaba en sus puertas carteles que decían: "Dios te ama. Hay predicador nuevo en Wheat Street. Vengan el domingo. Vengan vestidos como están."

Pero no todos estaban de acuerdo con el celo misionero de su pastor.

En la siguiente sesión de negocios una hermana prominente manifestó su inconformidad. "Esta iglesia", dijo, "es para los miembros de la misma. Nosotros somos ciudadanos respetables. No mendigamos ni olemos a vino, y yo no pienso adorar juntamente con esa gentuza inmunda de la calle."

En respuesta Borders dijo: "Hermana, lamento mucho que usted haya dicho eso. Permítame corregir su grave error. Esta iglesia no es propiedad de sus miembros. Nosotros somos solamente inquilinos. Esta iglesia le pertenece a Dios. Y aquellos desdichados hombres son de nuestro propio pueblo. A mí no me importa si tienen camisa limpia o no. Si quieren encontrarse con Dios, son bienvenidos mientras yo sea pastor de esta congregación. Y una palabra más. Yo fijaría aquellos anuncios en el infierno mismo si tuviera manera de salirme después."[1]

¡En semejante espíritu misionero se manifiesta la razón de ser del verdadero pueblo de Dios!

---

[1]James W. English, *Handyman of the Lord* (New York: Meredith Press, 1967, Págs. 39, 40). Traducción del autor.

PERDIDAS POR CAUSA DE LA PROSPERIDAD
Génesis 13:1-13

Refiriéndose a eventos en la historia de Israel, el apóstol Pablo dijo: "Estas cosas les acontecieron como ejemplos y están escritas para nuestra instrucción" (1 Cor. 10:11a). Meditaremos hoy en la instrucción que se deriva de la vida de Lot, el sobrino de Abram.

Nos informa este pasaje que al aumentar la ganadería de Abram y de Lot, "la tierra no bastaba para que habitasen juntos", y "surgió una contienda" entre sus respectivos pastores. Para poner fin al penoso espectáculo de parientes en conflicto, Abram dijo a su sobrino: "¿No está delante de ti toda la tierra? Por favor, sepárate de mí. Si tú vas a la izquierda, yo iré a la derecha; y su tú vas a la derecha, yo iré a la izquierda." Y al ver Lot que la llanura del Jordán era "toda tierra de regadío, como un jardín de Jehovah", le dominó el deseo de incrementar su riqueza. No se detuvo para pensar ni en la deuda de gratitud que tenía para con su tío, ni en su obligación de velar por el bienestar moral y espiritual de su propia familia. Eligió para sí la región más próspera. "Habitó en las ciudades de la llanura y fue instalando sus tiendas hasta Sodoma", a pesar de que "los hombres de Sodoma eran malos y muy pecadores contra Jehovah."

La secuela de la decisión de Lot destaca tres pérdidas a que se expone todo hijo de Dios que se deja dominar por el afán de prosperar materialmente. ¿Cuáles son?

I. Se expone a perder su gozo.

A. El gozo es parte del patrimonio de todo hijo de Dios. A los judíos que volvieron del cautiverio babilónico, Nehemías dijo: "No os entristezcáis, porque el gozo de Jehovah es vuestra fortaleza" (Neh. 8:10b). Lo mismo enseñaba Cristo. En vísperas de su crucifixión dijo a sus dicípulos: "Estas cosas os he hablado para que mi gozo esté en vosotros y vuestro gozo sea completo" (Juan 15:11). Y refiriéndose a la seguridad de su propia resurrección, les dijo: "Se gozará mucho vuestro corazón, y nadie os quitará vuestro gozo" (Juan 16:22). Y el apóstol Pablo enseñó que el gozo es parte íntegra, tanto del reino de Dios (Rom. 14:17) como del fruto del Espíritu (Gál. 5:22).
B. Pero Lot perdió su gozo. En una referencia a la destrucción de Sodoma y Gomorra, el apóstol Pedro dice que Dios "rescató al justo Lot, quien era acosado por la conducta sensual de los malvados, porque este hombre justo habitaba en medio de ellos y afligía de día en día su alma justa por los hechos malvados de ellos" (2 Ped. 2:8, 9).
C. Dos mil años después de Lot, el apóstol Pablo dijo: "El amor al dinero es raíz de todos los males; el cual codiciando algunos, fueron descarriados de la fe y se traspasaron a sí mismos con muchos dolores" (1 Tim. 6:10). Si Lot hubiera sido advertido de esto, ¿se habría dejado dominar por el afán de prosperar materialmente? No sabemos. Pero sí sabemos que los que vivimos a la luz de la amonestación apostólica tenemos mayor responsabilidad que Lot. ¡Y ay de nosotros si no escarmentamos en cabeza ajena!

II. Se expone a perder su testimonio.

A. Obedeciendo la orden de los ángeles que Dios le había enviado, leemos que "salió Lot y habló a sus yernos, los que habían de casarse con sus hijas, y les dijo: ¡Levantaos, salid de este lugar, porque Jehovah va a destruir la ciudad! Pero a sus yernos les pareció que bromeaba" (Gén. 19:14). ¡Lot había perdido su testimonio!
B. Cuando los judíos se escandalizaron de Jesús porque afirmaba su identidad esencial con Dios, les dijo: "Si no hago las obras de mi Padre, no me creáis. Pero si las hago, aunque a mí no me creáis, creed a las obras; para que conozcáis y creáis que el Padre está en mí, y yo en el Padre" (Juan 10:30, 37, 38). Estaba indicando el Divino Maestro que si un testimonio hablado ha de ser creído, tiene que ser respaldado por un testimonio vivido. Esto explica el problema de Lot. El testimonio de su vida anuló el testimonio de sus palabras. Y lo mismo nos sucederá a nosotros si nuestro estilo de vida indica que amamos el dinero más que a la gente que nos rodea.

III. Se expone a perder a su familia.

A. Cuando los ángeles sacaron de Sodoma a Lot, le dijeron: "¡Escapa por tu vida! No mires atrás." Pero "la mujer de Lot miró atrás, a espaldas de él, y se convirtió en una columna de sal" (Gén. 19:26). ¡Así perdió Lot a su esposa! Pero su desgracia aún no terminaba. Algún tiempo después sus dos hijas le emborracharon y cometieron incesto con él, llegando así a ser madres, respectivamente, de los moabitas y los amonitas (Gén. 19:31-38), dos malvados pueblos que por años vivieron en conflicto con Israel.[1] ¡Así perdió Lot también a su posteridad!

B. Lo que le sucedió a Lot nos puede suceder a nosotros también. "Los que desean enriquecerse caen en tentación y trampa, y en muchas pasiones insensatas y dañinas que hunden a los hombres en perdición" (1 Tim. 6:9). Y lo más penoso del caso es que cuando un padre de familia se deja arrastrar por el afán de prosperar materialmente, no sólo sufre pérdidas él, sino también su familia.

¡Pero todas estas pérdidas pueden ser evitadas! "Nadie puede servir a dos señores; porque aborrecerá al uno y amará al otro, o se dedicará al uno y menospreciará al otro. No podéis servir a Dios y a las riquezas" (Mat. 6:24). La manera, pues, de librarnos del afán de prosperar materialmente (y de todas las pérdidas que acarrea ese afán) consiste simplemente en someternos diariamente al señorío de Dios. En esa diaria sumisión seremos continuamente "llenos del Espíritu", y disfrutaremos de su gozo (Gál 5:22), de su poder para testificar (Hech. 1:8) y de su dirección (Rom. 8:14) para evitar todo lo que pudiera hacer daño, tanto a nosotros mismos como a nuestras respectivas familias.

---

[1]Véanse Números 25:6-9; Deuteronomio 23:3, 4; Jueces 3:12-30; 2 Crónicas 20:1-30.

LAS PRUEBAS DE DIOS
Génesis 22:1-18

Más de 250 veces el Nuevo Testamento designa a los salvos como "discípulos". Este término significa "uno que aprende, un alumno, un aprendiz". Su uso neotestamentario como sinónimo de "creyentes" destaca el hecho de que la vida cristiana es una vida de escuela en la cual todos los salvos somos alumnos, y el Maestro es Dios mismo.

Puesto que todo aprendizaje parte forzosamente de la base de lo ya conocido, los maestros necesitan saber si sus alumnos ya dominaron los principios elementales de una materia antes de presentarles conceptos más avanzados. Por esto es que les someten a pruebas. A la vez, las pruebas sirven también a los alumnos. Es imposible enseñar a alguien que crea que ya se lo sabe todo. Pero cuando no sabe, las pruebas se lo revelan. Luego, humillado por su fracaso, el alumno es motivado a dedicarse con mayor ahínco al estudio. En esto último, existe un paralelo entre las escuelas humanas y la Escuela de Dios.

Dios no necesita probarnos para darse cuenta él de nuestros progresos espirituales. Pero porque ya nos conoce, nos ama y desea motivarnos a crecer todavía más, nos somete a pruebas. *Un pasaje instructivo respecto a tales pruebas es Génesis 22:1-18.* De aquella prueba de Abraham, ¿qué aprendemos acerca de las pruebas nuestras?

I. Aprendemos que nuestras pruebas revelan hasta qué punto somos libres de la idolatría.

A. Los progenitores de Abraham eran idólatras (Jos. 24:2, 15). Pero en respuesta al llamado de Jehová (Gén. 12:1), el patriarca repudió "a los dioses a los cuales sirvieron" sus padres para obedecer y servir al único Dios verdadero. Con aquella decisión demostró que daba a Jehová suprema lealtad. ¡Era libre de la idolatría! Pero años después, Dios le dio en Sara a Isaac, el cual ahora era un joven. El corazón de Abraham se había entrelazado estrechamente con la vida de su hijo. ¡Y Dios le mandaba sacrificarlo! ¿A quién amaba más: a Dios o a Isaac? De nuevo se enfrentaba con la tentación de idolatrar.

B. Así también nos sucede a nosotros. En nuestra conversión repudiamos toda otra lealtad para tomar el yugo de Jesús (Mat. 11:29-30). Pero la vida es cambiante. No tardan en asomarse otras personas y circunstancias para tentarnos a darles a ellas nuestro supremo afecto y lealtad. ¿Cuál carrera seguiremos? ¿Con quién nos casaremos? ¿Callaremos nuestro testimonio cristiano para ganarnos aceptación social? ¿Dudaremos del amor y de la sabiduría de Dios en tiempos de adversidad? Nuestra reacción en tales situaciones revela hasta qué punto somos libres de la idolatría.

II. Aprendemos cómo triunfar cuando somos probados.

A. Para triunfar cuando somos probados, necesitamos obedecer a Dios.
   1. A la luz de la repetida promesa divina (Gén. 15:4-6; 17:15-21), la orden a Abraham de sacrificar a su hijo (Gén. 22:2) debe haberle sido incomprensible y extremadamente dolorosa. Y durante los tres días que duró el viaje hacia el lugar que Dios le había indicado, no podemos menos que pensar que aumentaba su dolor (Gén. 22:3-8). ¡Pero a pesar de todo, Abraham obedeció! (Gén. 22:3, 9, 10).
   2. También debemos obedecer nosotros, aunque no comprendamos lo que nos esté sucediendo, y aunque nos duela. La medida de nuestra obediencia es la medida de nuestro amor (Juan 14:15, 21). Y la medida de nuestro amor a Dios es la medida de nuestra libertad de la idolatría (Luc. 16:13).

B. Para triunfar cuando somos probados, necesitamos confiar en Dios.
   1. En el tercer día de su viaje, Abraham "alzó sus ojos, y divisó el

lugar de lejos", y dijo a sus siervos: "Esperad aquí con el asno. Yo y el muchacho iremos hasta allá, adoraremos, y *volveremos a vosotros*" (Gén. 22:4, 5). Hebreos 11:17-19 explica que el patriarca "consideraba que Dios era poderoso para levantar aun de entre los muertos".

2. Así también debemos confiar nosotros en que Dios nos ama y que "hace que todas las cosas ayuden para bien a los que le aman" (Rom. 8:28), y que "es poderoso para hacer todas las cosas mucho más abundantemente de lo que pedimos o pensamos, según el poder que actúa en nosotros" (Ef. 3:20). ¡Confiemos, pues!

III. Aprendemos cuáles son las bendiciones que recibiremos cuando en medio de nuestras pruebas obedecemos a Dios y confiamos totalmente en él.

A. Recibiremos nuevas manifestaciones de la gracia divina.
   1. Así le sucedió a Abraham. Ya a punto de clavar el cuchillo en el corazón de Isaac, el ángel de Jehová le detuvo. A sus espaldas vio un carnero trabado en un zarzal por sus cuernos. Lo tomó y lo ofreció en holocausto en lugar de su hijo. Y luego, para conmemorar tan tremenda manifestación de la gracia divina, nombró aquel lugar, "Jehovah-yireh" que significa, "Jehovah proveerá".
   2. Y así nos sucederá a nosotros también (Juan 14:21).

B. Seremos reconfirmados como instrumentos útiles en el servicio de Dios.
   1. Así le sucedió a Abraham. Ya dos veces Dios le había indicado que en él habían de ser "benditas todas las familias de la tierra" (Gén. 12:3; 18:18). ¡Y ahora fue reconfirmado en su misión! (Gén. 22:18).
   2. Juan 10:27-29 declara la permanencia de nuestra calidad de "ovejas" del Señor. Pero 1 Corintios 9:24-27 nos advierte de la posibilidad de ser "descalificados" como sus siervos. Por otra parte, 2 Timoteo 2:19-21 indica cómo evitar tan funesto peligro y ser, cada uno de nosotros, un "vaso para honra, consagrado y útil para el Señor, preparado para toda buena obra".
   3. Si esto es lo que de todo corazón anhelamos, manifestémoslo al Señor mediante la entonación del conocido himno titulado "Jesús, yo he prometido".[1]

---

[1]John E. Bode, "Jesús, yo he prometido", Núm. 342 *Himnario Bautista* (El Paso: Casa Bautista de Publicaciones, 1978).

DESCRIPCION DE UNA VIDA TRIUNFANTE
Génesis 49:22-24

Poco antes de morirse, el patriarca Jacob mandó llamar a sus doce hijos. Al tenerlos enfrente, se dirigió brevemente a cada uno, hablando tanto de sus respectivos caracteres y acciones, como de lo que había de acontecerles en el porvenir. El lenguaje poético del discurso revela la profunda emoción que embargaba al patriarca al despedirse de sus hijos, y todo el pasaje es instructivo e inspirador. Pero en esta ocasión nos limitaremos a considerar lo que dijo de su hijo predilecto, de José.

Lo haremos así porque sin temor a equivocarnos podemos afirmar *que en las emocionantes palabras con que su padre se despidió de él tenemos una perfecta descripción de toda vida que merece ser llamada triunfante.*

De acuerdo con esta bella descripción, ¿cómo se caracteriza una vida triunfante?

I. Se caracteriza por el fruto que lleva.

A. La descripción de este fruto: "José es un retoño fructífero, retoño fructífero junto a un manantial; sus ramas se trepan sobre el muro." Colocado donde puede recibir diario sustento (junto al manantial) el retoño fructífero se extiende sobre el muro del huerto y reparte su fruto con los que están afuera.

B. La justificación de esta descripción: La vida de José fue fructífera en bendiciones para todos los que le rodeaban:
1. Ayudó a su padre en su negocio ganadero (Gén. 37:2b, 12-14).
2. Dio prosperidad a la casa de Potifar (Gén. 39:1-5).
3. Impuso orden en el manejo de la prisión real (Gén. 39:21-23).
4. Sirvió a los intereses del Faraón (Gén. 41:37-57; 47:14-26).
5. Preservó la vida de la familia por medio de la cual había de nacer el Salvador del mundo (Gén. 45:1-47:12).

C. La aplicación de esta descripción: Decir que una vida triunfante se caracteriza por el fruto que lleva no es sino otra manera de decir que la verdadera grandeza consiste en el servicio que se presta a los demás. Recordemos las palabras de Jesús (Mar. 10:41-45) y el ejemplo de Dorcas (Hech. 9:35-40).

II. Se caracteriza por el conflicto que sostiene.

A. La descripción de este conflicto: "Los arqueros le causaron amargura; le fueron hostiles los flecheros." Se describe a José como víctima de ataques traicioneros de parte de enemigos escondidos que desde lejos le lanzaban flechas agudas, causándole daño y terrible amargura.

B. La justificación de esta descripción: al través de su vida José tuvo que librar siete terribles conflictos.

1. Con la envidia (Gén. 37:1-28, especialmente el v. 11).
2. Con la soledad: en la cisterna (Gén. 37:24, 25); en un país extraño (Gén. 37:28); y en la cárcel (Gén. 39:20).
3. Con la tentación sexual (Gén. 39:7-12).
4. Con la calumnia (Gén. 39:13-19).
5. Con la ingratitud (Gén. 40:1-23, especialmente el v. 23).
6. Con la prosperidad (Gén. 41:37-46).
7. Con la tentación de vengarse (Gén. 42:1-26; 50:15-21).

C. La aplicación de esta descripción: El que quiera triunfar en la vida tendrá que sostener un conflicto vitalicio con:
1. El mundo (Juan 15:18, 19; Ef. 2:2; Stg. 4:4b; 1 Jn . 2:15).
2. La carne (Gál. 5:17; Ef. 2:3; Rom. 8:13a).
3. El diablo (1 Jn. 5:19b; 1 Ped. 5:8; Ef. 6:12).

III. Se caracteriza por el poder que recibe.

A. La descripción de este poder: "Pero su arco permaneció firme y sus brazos se hicieron ágiles por las manos del Fuerte de Jacob; por el nombre del Pastor, la Roca de Israel" (Gén. 49:24). Quiere decir que en medio de todos sus conflictos José recibía el apoyo de Dios. La poderosa mano divina posaba sobre la débil mano suya y le fortalecía.

B. La justificación de esta descripción:
1. Tanto la soledad como la calumnia fueron vencidos por José porque "Jehová estuvo con José" (Gen. 39:2, 21, 23).
2. Venció la tentación sexual diciendo: "¿Cómo, pues, haría yo esta gran maldad y pecaría contra Dios?" (Gén. 39:9).
3. Venció las tentaciones de la prosperidad al recordar que era Dios y no su propia habilidad que le había subido al poder (Gén. 41:16).
4. Venció la tentación de vengarse por su temor a Dios (Gén. 42:18; 45:5, 8; 50:19, 20).

C. La aplicación de esta descripción: El triunfo siempre depende de Dios.
1. En Dios hay victoria sobre el mundo (Juan 16:33).
2. En Dios hay victoria sobre la carne (Rom. 8:13).
3. En Dios hay victoria sobre el diablo (Ef. 6:10, 11).

El Trino Dios tiene poder y de sobra para vencer al triunvirato del infierno. Pero este poder tiene que ser recibido de él como un don de su gracia. Para recibirlo, hay tres cosas que hacer: (1) reconocer nuestra propia incapacidad; (2) someternos sin reserva a la soberanía divina; y (3) confiar plenamente en la fidelidad de Dios para cumplirnos sus promesas.

¿Está usted dispuesto a hacer estas tres cosas ahora mismo?

LA SEÑAL DE LA SANGRE

Exodo 12:1-13

Refiriéndose a las experiencias del pueblo de Israel, el apóstol Pablo dijo: "Estas cosas les acontecieron como ejemplos y están escritas para nuestra instrucción" (1 Cor. 10:11). Una de las épocas más fecundas en este material ilustrativo fue aquélla en que los israelitas salieron de la esclavitud egipcia. Su salida se hizo posible sólo después de que Dios hubiese enviado sobre Egipto una serie de plagas que terminó con la matanza de los primogénitos.

De aquella matanza fueron salvados los israelitas mediante el sacrificio por cada familia de un cordero cuya sangre esparcieron arriba y a los lados de la puerta de sus chozas. Luego se metieron adentro y comieron la carne del cordero, juntamente con hierbas amargas y pan sin levadura. Así quedó establecida la principal fiesta religiosa del pueblo de Israel. La narración de ese emocionante evento se encuentra en Exodo 12:1-13.

El versículo clave de este pasaje es el trece que dice: "La sangre os servirá de señal en las casas donde estéis. Yo veré la sangre y en cuanto a vosotros pasaré de largo y cuando castigue la tierra de Egipto, no habrá en vosotros ninguna plaga para destruiros."

Los inspirados escritores del Nuevo Testamento vieron en ese singular evento un símbolo del sacrificio de Jesús en la cruz del Calvario (Juan 1:29; 1 Cor. 5:7b). *Esto significa que para nosotros la sangre de Cristo es una señal de la misma manera en que la sangre del cordero pascual lo era para el Pueblo de Israel.* En ambos casos, pues, ¿de qué es la sangre una señal?

I. Es una señal de juicio.

A. La sangre del cordero pascual era una señal del juicio justiciero de Dios sobre la idolatría egipcia (Exo. 12:12).
B. La sangre de Cristo es una señal del juicio divino sobre el pecado de la humanidad entera (Rom. 6:23a; 2 Cor. 5:21; 1 Ped. 2:24; Rom. 8:32).

II. Es una señal de amor.

A. La sangre del cordero Pascual era una señal del amor de Dios para el pueblo de Israel (Exo. 11:7; Deut. 4:37; 7:7, 8).
B. La sangre de Cristo es la señal suprema del amor de Dios para un mundo perdido (Juan 3:16; Rom. 5:7, 8)*.

III. Es una señal de liberación.

A. La sangre del cordero pascual era señal de liberación de la esclavitud física (Exo. 1:13, 14; 3:7, 8; 11:1).
B. La sangre de Cristo es señal de liberación de la esclavitud del pecado.
   1. Liberación de la condenación del pecado (Rom. 5:9; Ef. 1:7; 1 Jn. 1:7; Apoc. 1:5).
   2. Liberación del poder del pecado (Apoc. 12:11; Rom. 8:37-39).

IV. Es una señal que demanda fe.

A. Después de rociar la sangre arriba y a los lados de la puerta de su chocita, el piadoso israelita se metió adentro con toda su familia. Comprendía que la sangre en la vasija no detendría al Angel de la Muerte, pero confiaba en que la sangre esparcida sobre la puerta sería una barrera infranqueable de protección.
B. De análoga manera, la sangre de Cristo no aprovechará a nadie que no deposite su fe en Aquel que la derramó. "Como demostración de su justicia, Dios le ha puesto a él [Cristo] como expiación por fe en su sangre" (Rom. 3:25a).

Amigo que me escucha, ¡nada le aprovechará la muerte de Jesús si no deposita su fe en él! Sin tal fe nunca se escapará de la justa ira de Dios contra el pecado; nunca sabrá cuán dulce es su infinito amor; nunca se sentirá libre de su culpa ni tendrá poder para vencer sus debilidades. Pero si en este momento se entrega de corazón a Aquel que murió por usted y quien ahora vive a la diestra del Padre para interceder a su favor, entonces tendrá el gozo y la seguridad expresados en el himno cristiano que dice:

> Hay una fuente sin igual de sangre de Emanuel,
> En donde lava cada cual las manchas que hay en él.
> El malhechor se convirtió clavado en una cruz;
> El vio la fuente y se lavó, creyendo en Jesús.
> Y yo también mi pobre ser allí logré lavar;
> La gloria de su gran poder me gozo en ensalzar.
> ¡Eterna fuente carmesí! ¡Raudal de puro amor!
> Se lavará por siempre en ti el pueblo del Señor.[1]

Ilustración

* En México corría el año de 1858. Ya había estallado la guerra de la Reforma entre Conservadores y Liberales y el presidente Juárez, huyendo de las fuerzas superiores del partido conservador, se había refugiado en el Palacio de Gobierno en la ciudad de Guadalajara. Cierto día un pelotón de soldados que simpatizaban con la causa conservadora sorprendieron al presidente en el patio y levantaron sus fusiles para disparar sobre su persona. En ese instante Don Guillermo Prieto, miembro del gabinete de Juárez, se puso enfrente de su presidente y con elocuente pasión gritó a los soldados: "¡Bajen esas armas. Los valientes no asesinan!" Le obedecieron, y se salvó la vida del Benemérito de las Américas.

Como dijo el apóstol Pablo, "pudiera ser que alguno osara morir por el bueno. Mas Dios encarece su amor para con nosotros, en que siendo aún pecadores, Cristo murió por nosotros".

PETICION POR LIDERAZGO PASTORAL

Números 27:15-17

En cierta ocasión, Dios dijo a Jeremías: "Aunque Moisés y Samuel se pusiesen delante de mí, mi alma no estaría con este pueblo" (Jer. 15:1). En su primera intención, aquellas palabras recalcaron el inalterable propósito de Dios de castigar la idolatría de Israel. Pero al mismo tiempo destacaron la excepcional efectividad de las oraciones de Moisés y de Samuel. Respecto al primero de aquellos dos, los libros de Exodo, Números y Deuteronomio consignan no menos de veinte referencias a sus plegarias.[1] El conjunto de ellas nos recuerda que toda persona que desee ser usada por Dios debe ser "constante en la oración" (Rom. 12:12b). Y tomadas individualmente, descubrimos que varias de ellas se relacionan claramente con situaciones contemporáneas. Esto es obviamente cierto respecto a la petición que hizo Moisés en vísperas de su muerte.

Esta petición indica tres cosas respecto al liderazgo pastoral del pueblo de Dios. ¿Cuáles son?

I. Indica la razón por qué el pueblo de Dios necesita contar con liderazgo pastoral.

El pueblo de Dios necesita contar con este liderazgo espiritual para que "no sea como ovejas que no tienen pastor" (v. 17b). Las Escrituras especifican que cuando falta un pastor, las ovejas: (1) son dispersadas (1 Rey. 22:17); (2) vagan (Zac. 10:2); (3) están expuestas a ser devoradas por las fieras del campo (Eze. 34:5); y (4) están acosadas y desamparadas (Mat. 9:36). Estos graves peligros hacen necesario que cada congregación cuente con liderazgo pastoral.

II. Indica en qué consiste la tarea que desempeña el liderazgo pastoral.

A. Un pastor está puesto "al frente de la congregación" para que "salga y entre delante de ella" (vv. 16b, 17a). Quiere decir que su tarea consiste en actuar como "ejemplo de la grey" (1 Ped. 5:3). Cristo condenó a los fariseos porque decían pero no hacían (Mat. 23:3b). Les llamó hipócritas porque cerraban el reino de los cielos delante de los hombres. Ni entraban ellos mismos, ni dejaban entrar a los que procuraban entrar (Mat. 23:13). No debe extrañarnos, pues, que Pablo haya exhortado tanto a Timoteo como a Tito a ser diligentes en poner un buen ejemplo ante las personas a quienes ministraban (1 Tim. 4:12; Tit. 2:7).

B. Un pastor está puesto "al frente de la congregación" para "que los saque y los introduzca" (v. 17b). Quiere decir que su tarea consiste en actuar como guía espiritual de su grey, dirigiéndoles en conquistas para Dios. Jueces 2:1 emplea los términos "sacar e introducir" para referirse a la conquista de Canaán, y 2 Samuel 5:2 los emplea para describir las luchas victoriosas de David. Todo el pueblo de Dios está envuelto en una lucha "contra autoridades, contra gobernantes de estas tinieblas, contra espíritus de maldad en los lugares celestiales" (Ef. 6:12). En esta lucha cada pastor humano debe imitar al Pastor Divino quien, "cuando saca fuera a todas las suyas, va delante de ellas" (Juan 10:4), dispuesto a poner su vida por las ovejas (Juan 10:15b).

III. Indica la fuente de la cual el debido liderazgo pastoral se obtiene y la manera de obtenerlo.

A. Esta fuente es "Jehovah, Dios de los espíritus de toda carne". El divino nombre "Jehovah" significa la existencia propia y la eternidad de Dios (Exo. 3:13-15; Sal. 135:13). Y la frase "Dios de los espíritus de toda carne" se refiere a "su carácter de Autor de todos los dones intelectuales y todas las gracias morales con los cuales están dotados los hombres" e indica que "puede levantar personas aptas para los deberes más arduos y las situaciones más difíciles".

B. Pero no basta con saber que Dios puede suplir el liderazgo pastoral que hace falta. Hay que pedírselo. "No tenéis porque no pedís" (Stg. 4:2b). Pero "ésta es la confianza que tenemos delante de él: que si pedimos algo conforme a su voluntad, él nos oye. Y si sabemos que él nos oye en cualquier cosa que pidamos, sabemos que tenemos las peticiones que le hayamos hecho" (1 Jn. 5:14, 15).

La petición de Moisés en que estamos meditando se relaciona claramente con nuestra situación contemporánea. En cada país de habla hispana existen numerosas congregaciones cristianas que carecen de pastor. Abundan también lugares donde surgirían obras nuevas si hubiera quien les llevara el Evangelio. El impedimento no está en Dios. Él "quiere que todos los hombres sean salvos y que lleguen al conocimiento de la verdad" (1 Tim. 2:4). El impedimento está en nosotros.

¿Está dispuesto a rogar encarecidamente "al Señor de la mies, que envíe obreros a su mies"? (Mat. 9:38; Luc. 10:2). ¿Está dispuesto a ser uno de los obreros que él desea enviar? Si así es, manifiéstelo mientras cantamos el himno "Usa Mi Vida".[3]

---

[1]Exo. 22:23; 6:12, 30; 8:12; 8:30; 9:28-33; 10:17, 18; 15:1-18;15:25; 17:4; 32:11-14; 32:31; 33:12-18; 34:5-9; Núm. 14:13-19; 16:15; 16:22; 21:7; 27:5; 27:15-17; y Deut. 33:1-29. Probablemente debería incluirse también Exo. 17:10-13.

[2]Robert Jamieson, A. R. Fausset y David Brown, *Comentario Exegético y Explicativo de la Biblia*, Trad. Jaime C. Quarles *et al* (El Paso: Casa Bautista de Publicaciones, 1956. Tomo I, pág. 146.)

[3]Ira B. Wilson, "Usa mi vida", Núm. 522 *Himnario Bautista* (El Paso: Casa Bautista de Publicaciones, 1978).

EL SECRETO DE LA VICTORIA

Jueces 7:1-22

En el mundo hispano el pueblo evangélico ha sido siempre la minoría, y esta situación no ha dejado de desanimar a muchos. Durante mis años de seminarista pastoreaba una pequeña congregación que se reunía en un templecito tan chico que los feligreses de la parroquia romanista se mofaban de nosotros, diciendo que no éramos más que cuatro gatos, echados cada uno en un rincón de su cajón. Es relativamente fácil no hacer caso de tales bromas de mal gusto. Pero la realidad encerrada en ellas no debe dejar de preocuparnos. La vasta mayoría de las personas cuyo idioma nativo es el español no conocen a Cristo en una experiencia personal de salvación. ¡Esto sí que es una tragedia de colosales proporciones! ¿Será posible que el minoritario pueblo evangélico hispano logre ganar a sus muchos hermanos de raza para Cristo?

La Biblia nos da la respuesta a esta pregunta en un pasaje que trata de trescientos hombres que triunfaron sobre un ejército que era tan numeroso "como langostas", y aun "sus camellos eran incontables, numerosos como la arena que está a la ribera del mar".

En la sonada victoria que Dios concedió a los trescientos soldados de Gedeón contra las innumerables huestes de Madián descubrimos el secreto para una victoria evangelística y misionera en el mundo hispano de hoy. ¿En qué consiste el secreto de tal victoria?

I. Consiste en el carácter de los que luchemos (Jue. 7:1-7).

A. Tenemos que ser humildes (vv. 2, 3). Nótese que para identificar a los humildes, Dios eliminó a los cobardes. La persona humilde no depende de sí misma, sino de Dios. Y sólo los que dependan de Dios tendrán valor frente a los que sean más fuertes que ellos. [Recuérdese el caso de David ante Goliat, 1 Sam. 17:45.]

B. Tenemos que ser totalmente consagrados a la lucha (vv. 4-7). Nueve mil setecientos de los que pasaron la primera prueba fallaron en la segunda. Tenían tanta sed que cuando se les dio oportunidad para beber, sólo pensaban en sí mismos y soltaron sus armas para beber directamente del arroyo. En cambio, los trescientos pensaban en la opresión que padecían sus familias y se mantuvieron en guardia, empuñando sus armas en una mano mientras llevaban agua a la boca con la otra. [Recordemos la total consagración del apóstol Pablo, Hech. 20:24.]

II. Consiste en las actividades que desarrollemos en la lucha (Jue. 7:15, 16).

A. En primer lugar, debemos desarrollarnos en la adoración (Jue. 7:15). Como dice Proverbios 21:31: "El caballo es alistado para el día de la batalla, pero de Jehovah proviene la victoria." Así lo comprobó el Rey Josafat (2 Cron. 20:1-22). No importa cuán urgente sea actuar, primero hay que apartarnos para adorar a Dios. Recuérdese la práctica del Señor Jesús (Luc. 5:15, 16).

B. En segundo lugar, debemos desarrollarnos en el testimonio:
   1. En el testimonio de vidas luminosas, simbolizado por las teas encendidas (Jue. 7:16b). (Véase también: Mat. 5:14; Ef. 5:8-12).
   2. En el testimonio de palabras claras, simbolizado por el sonido estentorio de las cornetas, (Jue. 7:16a, 20a). (Véase también: Hech. 11:13, 14; 18:9-11).

III. Consiste en la táctica que empleemos en la lucha (Jue. 7:17-21).

A. Tenemos que mantener la vista clavada en nuestro Jefe (v. 17). (Véase también Heb. 12:2, 3 y Juan 21:20-22).

B. Tenemos que ocupar el lugar que el Jefe nos asigne, (v. 21). [Recordemos que nuestros respectivos dones espirituales nos capacitan para rendir el preciso servicio que Dios espera de cada uno (1 Ped. 4:10, 11).]

C. Tenemos que consentir en el rompimiento de nuestros cántaros para que sea vista la luz que llevamos adentro, (v. 19b). (Véase Hech. 9:15, 16). [Recordemos el impacto sobre Saulo de la manifestación del Espíritu de Cristo en la muerte de Esteban (Hech. 7:55-60; Luc. 23:34; Hech. 26:14).]

La historia habla de grandes despertares espirituales entre pueblos de habla alemana, inglesa, galesa, china y coreana. Pero hasta ahora no ha habido tal despertar entre los que hablamos el español. La culpa no es de Dios. Él no hace distinción de personas (Hech. 10:34). La responsabilidad es nuestra.

Hemos visto en qué consiste el secreto de una victoria evangelística y misionera. ¿Permitiremos que el Espíritu Santo produzca en nosotros la humildad y entrega total que esta lucha demanda? ¿Tomaremos tiempo cada día para estar a solas con el Señor en adoración personal, así como para "no dejar de congregarnos" (Heb. 10:25) para la adoración comunitaria y la mutua exhortación? ¿Miraremos fijamente a Jesús para saber siempre cuál es el sitio que debamos ocupar? ¿Estaremos dispuestos a sufrir el rompimiento de nuestra comodidad, ambición o bienestar personales para que avance el reino de Dios en el mundo que nos rodea?

Si es así, entonces hay motivo para esperar que el mundo hispano sea sacudido por un despertar espiritual que traiga millones de almas a los pies de Jesucristo.

EL PECADO DE NO ORAR POR OTROS

1 Samuel 12:23a

Samuel, el último de los jueces de Israel (Hech. 13:20) y el primero de sus profetas (Hech. 3:24), fue dedicado a Dios por su madre aun antes de haberlo concebido (1 Sam. 1:1-27). No es extraño, pues, que el hijo que le nació llegara a ser poderoso en la oración. Tan así fue que años después, cuando Dios quiso hacer hincapié en la desesperada situación de su pueblo, dijo: "Aunque Moisés y Samuel se pusiesen delante de mí, mi alma no estaría con este pueblo" (Jer. 15:1).

Pero cuando Samuel envejeció, el pueblo pidió que les diera un rey para gobernarles "como tienen todas las naciones". Samuel se entristeció, pero oró sobre el asunto, y Jehovah le dijo que escuchara la voz del pueblo, "porque no es a ti a quien han desechado. Es a mí a quien han desechado, para que no reine sobre ellos" (1 Sam. 8:6-7). Así fue que Samuel ungió a Saúl como rey sobre Israel. Pero poco tiempo después Dios manifestó su desagrado con la decisión del pueblo mediante el envío de truenos y aguaceros. "Entonces todo el pueblo dijo a Samuel: ¡Ruega a Jehovah, tu Dios, por tus siervos, para que no muramos! Porque a todos nuestros pecados hemos añadido el mal de pedir un rey sobre nosotros" (1 Sam. 12:18, 19). Entonces Samuel les dijo: "¡Lejos esté de mí pecar contra Jehovah dejando de rogar por vosotros!" (I Sam. 12:23a). *Este texto enseña que dejar de orar por otros es pecado.* ¿Por qué?

I. Es pecado porque constituye desobediencia a Dios.

A. Dejar de orar por otros es desobedecer la enseñanza de Cristo en La Oración Modelo (Mat 6:9-13). Ninguna petición de dicha oración es egoísta. Las primeras tres piden algo para Dios mismo: "Santificado sea tu nombre... venga tu reino... sea hecha tu voluntad." Y las últimas tres piden algo para todo el pueblo de Dios: "El pan nuestro de cada día, dánoslo hoy; perdónanos nuestras deudas; no nos metas en tentación, mas líbranos del mal." Dejar de orar por otros, pues, es hacer caso omiso de la oración modelo.

B. Dejar de orar por otros es desobedecer también a otras enseñanzas del Nuevo Testamento. En Lucas 6:28 Cristo nos manda orar por nuestros enemigos. En 1 Timoteo 2:1, 2 Pablo nos manda orar por las autoridades civiles. Y en Santiago 5:14-16 el hermano de Cristo nos ordena orar por los enfermos.

II. Es pecado porque constituye indiferencia para con las necesidades de otros.

A. La parábola del buen samaritano (Luc. 10:29-37) condena toda indiferencia hacia necesidades ajenas.

B. La suprema necesidad de toda persona es su necesidad espiritual (Mat. 16:26; Luc. 12:16-21).

1. Esto nos mueve a orar por el envío de evangelistas y misioneros (Mat. 9:37; Lucas 10:2).
2. Esto nos mueve a orar por la conversión de los perdidos (Rom. 10:1).
3. Esto nos mueve a orar por el desarrollo espiritual de los salvos, (Ef. 3:14-19).

III. Es pecado porque constituye complicidad con las obras del diablo.

A. Como cristianos estamos involucrados en una lucha espiritual. "Nuestra lucha no es contra sangre ni carne, sino contra principados, contra autoridades, contra los gobernantes de estas tinieblas, contra espíritus de maldad en los lugares celestiales" (Ef. 6:12).
B. En esta lucha no es posible ser neutral. Cristo mismo ha dicho: "El que no está conmigo, contra mí está; y el que conmigo no recoge, desparrama" (Mat. 12:20).
C. En esta lucha nuestras únicas armas de ataque son:
   1. La Palabra de Dios, que es "la espada del Espíritu" (Ef. 6:17b); y
   2. La oración de intercesión. En Filipenses 1:19 Pablo habla de su esperanza de ser librado de la prisión imperial: "Sé que mediante vuestra oración y el apoyo del Espíritu de Jesucristo, esto resultará en mi liberación." Bien se ha dicho respecto a este pasaje que "en el texto griego las oraciones de los cristianos filipenses y la ayuda del Espíritu son considerados como una sola cosa". En otras palabras, las intercesiones del pueblo de Dios son canales que hacen llegar el poder del Espíritu hasta vidas y circunstancias necesitadas.
D. Así es que cuando dejamos de interceder por otros, nuestra negligencia nos convierte en cómplices del diablo.

Cuando somos culpables de no estar orando por otros, debemos hacer tres cosas: (1) Debemos confesar nuestro pecado a Dios y aceptar por fe su perdón (1 Jn. 1:9). (2) Debemos pedir que Dios nos haga saber quiénes son las personas inconversas por las cuales él desea que oremos. Y (3) debemos empezar a orar por esas personas con regularidad, pidiendo que el Espíritu les convenza de su pecado (Juan 16:8), y que nos dé a nosotros tanto la oportunidad como el valor para presentarles el evangelio. Como estas peticiones están de acuerdo con la voluntad divina, podemos estar seguros de que Dios las contestará (1 Jn. 5:14, 15).

Si están dispuestos a hacer estas tres cosas, favor de manifestarlo con levantar su mano o pasar al frente mientras cantamos el himno "Haz Arder Mi Alma".[2]

---

[1]Frank Robins, Filipenses: *Alégrense en el Señor* (El Paso: Casa Bautista de Publicaciones, 1981), pág. 47.

[2]Gene Bartlett, "Haz arder mi alma", Núm. 288 *Himnario Bautista* (El Paso: Casa Bautista de Publicaciones, 1978).

¿QUE HACER ANTE AMENAZAS DE DESASTRE?

2 Reyes 6:8-23

Hoy en día el desastre es una realidad global. Tal vez siempre haya sido así, pero ahora somos más conscientes de ello por causa de la rapidez con que se difunden las noticias.[1] El 6 de mayo de 1991 la prestigiosa revista *Newsweek* informó que en el Perú el cólera había infectado a 170.000 personas de las cuales más de 1.250 habían muerto. En el Ecuador ya había causado cuando menos 100 muertes, y casos se habían detectado también en Colombia, Chile y Brasil. La Organización Pan Americana de Salud predecía que dentro de tres años la epidemia habría de extenderse por todo el continente, dando muerte a 40.000 personas.

En su número del 13 de mayo la misma revista recordaba la rápida sucesión de desastres acaecidos en meses recientes: (1) una marejada que causó 125.000 muertes en Bangladesh y dejó sin vivienda a nueve millones de sobrevivientes; (2) la tragedia de millón y medio de refugiados Kurdos desplazados a causa de la Guerra del Golfo Pérsico; y (3) la situación desesperada en el sur del Africa donde 29 millones se enfrentaban con guerras civiles y una prolongada sequía que dejaba sin alimentos a millones. Este cúmulo de calamidades, decía, había producido en muchas personas una especie de fatiga. Estaban desilusionadas por la inefectividad de tantos esfuerzos caritativos y ya no querían hacer más.

Pero no todos los desastres son de índole global. A veces son agudamente personales. Un negocio se encara con la bancarrota y despide a muchos de sus empleados. Un niñito nace con alguna anormalidad física o mental. Un chofer borracho cruza la línea divisoria de la carretera, matando a gente inocente. Un joven robusto se tira de cabeza en aguas desconocidas, quedando paralizado por el resto de su vida. La sombría lista podría alargarse. Y aunque podríamos refugiarnos en un fatalismo no cristiano respecto a lo que pasa en vidas ajenas, cuando un desastre amenaza nuestra propia vida, tenemos que responder.

Pero ¿qué clase de respuesta podemos y debemos dar? La respuesta a esta pregunta se encuentra en 2 Reyes 6:8-23. *Aquí descubrimos tres maneras en que el pueblo de Dios puede y debe responder a toda amenaza de desastre.*

I. Puede y debe responder a las amenazas de desastre con fe.

A. Así respondió Elías. Cuando su siervo vio "que un ejército tenía cercada la ciudad con gente de a caballo y carros", dijo: "¡Ay, señor mío! ¿Qué haremos?" Pero el profeta respondió: "No tengas miedo, porque más son los que están con nosotros que los que están con ellos." Su respuesta expresó confianza tanto en la realidad de la presencia de Dios como en la suficiencia de su poder para resolver el problema. (Jer. 32:26, 27; Ef. 3:20, 21).

B. Así respondieron Sadrac, Mesac y Abed-nego ante la amenaza de ser echados al horno de fuego.

C. Animémonos, pues, y expresemos gozosamente nuestra fe cantando el himno "Fe la victoria es" Núm. 382 (*Himnario Bautista*).[2]

II. Puede y debe responder a amenazas de desastre con oración.

A. Así respondió Elías. Oró tres veces. Dos veces pidió que Dios ayudara con la bendición de iluminación, y una vez pidió que Dios estorbara con el juicio de ofuscación. Así debemos orar nosotros también.
B. Debemos pedir que Dios nos ilumine para "ver" la gloriosa realidad de las riquezas que son nuestras en Cristo (Efesios 1:18-21). Y debemos pedir que Dios ilumine a los inconversos para "ver" la triste realidad de su condición de pecadores perdidos (2 Cor. 4:4).
C. Pero también debemos pedir que Dios estorbe a Satanás y a todos sus siervos con el juicio de ofuscación. Estamos involucrados en una lucha espiritual (Ef. 6:12) en la cual sólo valen armas espirituales (2 Cor. 10:3, 4). Una de estas armas es la oración intercesoria mediante la cual nos unimos con nuestros hermanos en sus luchas (Rom. 15:30, 31; Col. 2:1; 4:12; Ef. 6:12, 18-20). Dios ha dicho: "Yo contenderé con los que contienden contra ti" (Isa. 49:25c). Debemos orar confiando en esta promesa (Salmo 35:1-10).
D. Animémonos, pues, en la práctica de la oración de intercesión cantando el himno "Nuestra Oración" Núm. 415 (*Himnario Bautista).*

III. Puede y debe responder a amenazas de desastre con amor.

A. Así respondió Elías (2 Rey. 6:20-23; Rom. 12:20). De esta manera expresó auténtico amor. Debemos comprender que el amor es más que un bonito sentimiento. Es un poderoso impulso a servir a los demás (Juan 3:16).
B. Así quiere Dios que respondamos cuando nos sintamos amenazados con algún desastre personal. En lugar de concentrarnos en nuestro propio dolor, veamos en el dolor ajeno una oportunidad para testificar del amor divino mediante actos de compasión cristiana.
C. Estimulémonos, pues, "al amor y a las buenas obras" (Heb. 10:24) cantando el himno "Haz arder mi alma" Núm. 288 (*Himnario Bautista*). Y mientras cantamos, si se siente impulsado a manifestar alguna decisión que Dios le pide —sea que reciba a Cristo como su Señor y Salvador, o que se dedique a algún servicio a los demás— le invitamos a pasar adelante para compartir con nosotros lo que Dios le está indicando.

---

[1]Los datos aquí consignados corresponden al tiempo en que prediqué este sermón por primera vez. Al predicarse de nuevo habría que emplear datos contemporáneos.
[2]El predicador debe ponerse de acuerdo anticipadamente con el director de la música respecto a los himnos que habrán de cantarse al fin de cada división principal del sermón.

EL MARAVILLOSO CUIDADO DE DIOS

Salmo 23

Es bien sabido que dentro del libro de los Salmos existen algunos grupos bien definidos compuestos de salmos consecutivos. De estos los tres grupos mejor conocidos son: (1) *Los salmos del Halel* (113-118) que se cantaban particularmente durante la fiesta de la Pascua, los 113 y 114 al principio y los 115 al 118 al final; (2) *Los cantos de ascenso gradual* (120-134) que, según algunos, eran cantados por los peregrinos mientras "subían" a Jerusalén para celebrar las tres fiestas anuales: la de Pascua, la de Pentecostés y la de Tabernáculos; y (3) *Los salmos del Aleluya* (145-150) con que el Salterio termina. Este precioso grupo de cánticos de alabanza nos recuerdan las *aleluyas* triunfantes con las cuales el Libro de Apocalipsis celebra el juicio de la gran ramera y la victoria final del Señor Dios Todopoderoso (Apoc. 19:1, 3, 4, 6).

Existen también algunos grupos pequeños de Salmos consecutivos que son de igual interés e importancia. Uno de ellos se compone de los Salmos 22, 23 y 24. De este grupo alguien designó el Salmo 22 como el *salmo de la cruz*, el 23 como el *salmo del cayado*, y el 24 como el *salmo de la corona.*

En esta ocasión vamos a meditar en el mejor conocido de este interesante grupo, el Salmo 23.

"Alguien ha dicho que en este Salmo el v. 1 nos habla de una *Persona;* el v. 2, de una *provisión*; el v. 3, de un *paseo*; el v. 4, de un *peligro*; el v. 5, de una *preparación*; y el v. 6, de una *perspectiva*."[1] Tal análisis es instructivo e interesante, *pero la manera más sencilla de caracterizar este precioso salmo es decir que su tema es el maravilloso cuidado de Dios.* ¿Cómo desarrolla el salmista este tema?

I. Hace una descripción general del maravilloso cuidado de Dios (v. 1).

A. Es un cuidado *divino: "Jehovah* es mi pastor". El nombre "Jehovah" ocurre 6.823 veces en el A.T. Es el "nombre propio" de Dios (Exo. 3:13-15). Hace hincapié en su eternidad (Isa. 40:28; Hab. 3:6b; Sal. 102:24b-27; 135:13); en su unicidad (Isa. 43:10, 11; 45:21, 22); y su relación de pacto con su pueblo (Exo. 19:5, 6; Deut. 5:2; Jer. 31:31-34).

B. Es un cuidado *personal*: "Jehovah es mi pastor". Dios se hace presente, no sólo con su pueblo en general, sino también con los individuos que componemos este pueblo (Mat. 10:29-31).

C. Es un cuidado *completo: "Nada* me faltará". En algunas versiones castellanas esta frase se traduce, "nada me *falta* (BJ, VP y BA en nota marginal). Ambas traducciones son posibles y no hay contradicción. (Sal. 34:9; Mat. 6:33 y Fil. 4:19).

II. Da un testimonio personal del maravilloso cuidado de Dios (vv. 2-5).

A. Jehovah me *restaura*, v. 2, 3a. Con sus "tiernos pastos" y "aguas tranquilas" restaura mis desgastadas fuerzas, poniéndome de nuevo en condiciones para servir y luchar (Isa. 40:29-31).
B. Jehovah me *guía*, v. 3b.
   1. Va delante de mí (Juan 10:4).
   2. "Me guiará por sendas de justicia por amor de su nombre", es decir, para que en todo yo le glorifique (1 Cor. 10:31).
C. Jehovah me *protege*, v. 4. Aunque el camino por el cual el Señor me conduzca atraviese valles "de densa oscuridad" (RVA, nota marginal) como es inevitable que sea, no tendré ningún temor. Su vara combatirá las fieras que me ataquen, y su cayado me mantendrá muy cerca de él.
D. Jehovah me *regocija*, v. 5.
   1. En la misma presencia de mis adversarios (1 Ped. 5:8) me prepara un banquete, demostrando así que se compromete a seguir amparándome de todo mal.
   2. Y da cima a este cúmulo de cuidados, ungiéndome con "aceite de regocijo" (Isa. 61:3) de tal manera que "mi copa está rebosando". Quiere decir que mi vida se desborda en testimonio y alabanzas al Señor.

III. Hace una declaración de fe en la continuación del maravilloso cuidado de Dios (v. 6).

A. Contaré con la continuación de este maravilloso cuidado hasta el fin de mi vida terrenal. "El bien y la misericordia", como dos siervos fieles que protegen mi retaguardia, "me seguirán todos los días de mi vida" (Deut. 31:6, 8 y Rom. 8:28, 29).
B. Y seguiré contando con este maravilloso cuidado por toda la eternidad. "Y en la casa de Jehová moraré por días sin fin" (Juan 14:2, 3 y 2 Cor. 5:1, 5-8).

En gratitud por este maravilloso cuidado que el Señor nos brinda, hagamos dos cosas: (1) echemos toda nuestra ansiedad en él (1 Ped. 5:7); y (2) sirvámosle, cuéstenos lo que nos cueste (Mat. 16:24, 25).

Y si nos acompaña en esta ocasión alguna persona que no conozca este maravilloso cuidado de Dios, nos complace decirle que usted también lo puede disfrutar. Jesucristo dijo: "Yo soy el buen pastor; el buen pastor pone su vida por las ovejas" (Juan 10:11). Él dio su vida por usted, y ahora sólo espera que usted se arrepienta de sus pecados y le reciba por fe como su propio Señor y Salvador.

---

[1]Kyle M. Yates, *Studies in The Psalms* [Estudios en los salmos (Nashville: Broadman Press, 1953, pág. 34).] Traducción del autor.

LA DICHA DEL PERDON

Salmo 32

Hace años leí del predicador argentino, Juan C. Varetto, un sermón del cual recuerdo sólo el título y la introducción. Hablaba de un predicador que aprovechaba los días festivos para ir a las plazas y a los parques con el fin de evangelizar. En cierta ocasión, al llegar al sitio previamente escogido, oía a un vocero de revistas que ofrecía en venta un cancionero popular titulado *El alma que canta*. Inspirado por tan feliz coincidencia, el predicador se paró en un lugar cercano y empezó a clamar: "Si quieres que cante tu alma, ven acá conmigo, y te diré cómo lo puedes lograr."

No recuerdo el texto en que se basaba el hermano Varetto para el desarrollo de su tema. Pero bien pudo haber sido el Salmo 32, porque éste es un pasaje en que verdaderamente canta el alma del autor. [Léase].

¿Se fijaron en la prominencia del gozo en este Salmo? Los dos primeros versículos empiezan con la palabra "bienaventurado," que significa "dichoso" o "feliz". El versículo siete declara que "con cánticos de liberación me rodearás". Y el versículo final nos invita a compartir la dicha que embargaba al autor: "Oh justos, alegraos en Jehovah y gozaos; cantad con júbilo, todos los rectos de corazón." El alma de David se parecía a un gigantesco campanario de catedral con cada campana repicando a vuelo cabal.

Tenían razón, pues, los editores de la Versión Reina-Valera, Revisión de 1960, al indicar que *el tema del Salmo 32 es "La dicha del perdón"*. ¿Qué, pues, enseña este Salmo respecto al logro de tal dicha?

I. Enseña que para lograr la dicha del perdón necesitamos reconocer la gravedad de nuestra culpa (vv. 1 y 2a).

A. Somos culpables de "transgresión", o sea de rebeldía en contra de la conocida voluntad de Dios (Jer. 2:19, RVR 1960).

B. Somos culpables de "pecado", de haber "quedado cortos", de haber fracasado en nuestros esfuerzos por vivir como Dios manda. Miqueas 6:8 dice lo que Dios nos demanda, y Romanos 3:23 declara que hemos fracasado.

C. Somos culpables de "iniquidad", de haber cedido a los perversos impulsos de nuestra naturaleza carnal. "Todos nosotros somos como cosa impura, y todas nuestras obras justas son como trapo de inmundicia. Todos nosotros nos hemos marchitado como hojas, y nuestras iniquidades nos han llevado como el viento" (Isa. 64:6).

II. Enseña que para lograr la dicha del perdón necesitamos apreciar la grandeza de lo que Dios ofrece (vv. 1 y 2a).

A. Ofrece quitarnos el pesado fardo de todas nuestras culpas, v. 1a. La voz hebrea aquí traducida "perdonada" literalmente significa "quitada o llevada lejos." Véase el simbolismo del macho cabrío vivo (Lev. 16:20-22 y la declaración de Juan el Bautista en Juan 1:29).

B. Ofrece cubrir la vergüenza de todos nuestros fracasos, v. 1b. (Véase lo que hizo Dios para Adán y Eva en el Huerto, Gén. 3:7, 21).
C. Ofrece cancelar la deuda que hemos contraído mediante nuestras perversidades (v. 2a). La frase "no culpa de" es un término de contabilidad y significa "no cargar en cuenta", o sea "cancelar". Cuando pecamos incurrimos en deuda para con Dios (véanse Mat. 6:12; 18:25-27).

III. Enseña que para lograr la dicha del perdón necesitamos cumplir las condiciones que Dios exige.

A. Exige que seamos sinceros, reconociendo que sí somos pecadores y que tenemos toda la culpa de serlo v. 2b. La única persona a quien realmente podemos engañar en esto es a nosotros mismos.

B. Exige que confesemos nuestros pecados a él, directa y honestamente, vv. 3-5. Había muchos sacerdotes en Jerusalén, pero David no se confesó con ninguno de ellos, sino a Dios mismo (v. 5).

C. Exige que confiemos en su inmerecida misericordia (vv. 6, 7a). La Ley estableció en Israel seis "ciudades de refugio" a las cuales podía huir "el homicida que hiriere a alguno de muerte *sin intención...sin enemistades.. .sin asechanzas*" (Núm. 35:9-28). Pero David intencionalmente mandó que se le matara a Urías. Así fue que no había para él ninguna esperanza en la Ley. Tenía que depender totalmente de la Gracia, de la inmerecida misericordia de Dios. ¡Y así también nosotros! (Rom. 6:23 y Ef. 2:8, 9).

Dios le dice a usted: "Tu maldad te castigará, y tus rebeldías te condenarán; sabe, pues, y ve cuán malo y amargo es el haber dejado a Jehová tu Dios, y faltar mi temor en ti" (Jer. 2:19, RVR, 1960). Pero no tiene que seguir arrastrando una existencia miserable y esperando una eternidad peor. Dios desea su felicidad. ¡Le ofrece la dicha del perdón! Reconoce la gravedad de su culpa; aprecia en todo lo que vale la grandeza del perdón que le ofrece; y cumple ahora mismo las sencillas condiciones que le exige.

Ven a Cristo, ven ahora, ven así cual estás;
Y de él sin demora el perdón obtendrás.
Cree y fija tu confianza en su muerte por ti;
El gozo alcanza quien lo hiciere así.
Ven a Cristo con fe viva, piensa mucho en su amor;
No dudes, reciba al más vil pecador.
El anhela recibirte, y hacerte merced;
Las puertas abrirte al eterno placer.[1]

---

[1]Pedro Castro, Núm. 467 *Himnario Bautista* (El Paso: Casa Bautista de Publicaciones, 1978).

EL PROBLEMA DE LA PROSPERIDAD DE LOS IMPIOS

Salmo 73

¿Por qué será que los impíos a menudo prosperan más que los justos? Este es un viejo problema que ha molestado a muchos. Le molestó al patriarca Job. En medio de sus múltiples sufrimientos preguntó: "Por qué viven los impíos y se envejecen, y además crecen en riquezas?... Pasan sus días en la prosperidad, y con tranquilidad descienden al Seol" (Job 21:7, 13). El problema molestó también a Jeremías, moviéndole a decir: "Justo eres tú, oh Jehovah, para que yo contienda contigo. Sin embargo, hablaré contigo sobre cuestiones de derecho. ¿Por qué prospera el camino de los impíos? ¿Por qué tienen tranquilidad todos los que hacen traición?" (Jer. 12:1). Y el profeta Habacuc se quejó ante Dios de lo mismo. "Eres demasiado limpio como para mirar el mal; tú no puedes ver el agravio. ¿Por qué, pues, contemplas a los traidores y callas cuando el impío destruye al más justo que él?" (Hab. 1:13). Pero el pasaje bíblico más notable sobre este problema es el Salmo 73.

Esta exposición del problema de la prosperidad de los impíos es notable por cuatro cosas. ¿Cuáles son?

I. Por la prudencia con que el salmista la presenta (vv. 1, 15).

A. Empieza con una afirmación de certeza respecto a la bondad de Dios para con su pueblo, una convicción a que llegó sólo después de haber luchado con el problema que le presentaba la prosperidad de los impíos (v. 1).

B. Lo hizo así porque sabía que si empezara con el relato de su propia lucha con la aparente injusticia de Dios, dañaría la fe de sus hermanos. Su preocupación por el bienestar espiritual ajeno le movió a callar sus propias dudas y esperar una iluminación divina antes de hablar a otros (v. 15). Esta actitud de preocupación por el bienestar espiritual de los que nos rodean fue encarecida por Jesús en Mateo 6:6, 7.

II. Por la franqueza con que el salmista la presenta (vv. 2-14).

A. Los versículos 4-9 describen lo que el salmista observaba en los impíos: su robusta salud (vv. 4, 5); su soberbia y violencia (v. 6); su prosperidad material (v. 7); y su arrogancia (vv. 8, 9).

B. Los versículos 10-12 indican el impacto que el bienestar temporal de los impíos hacía en el pueblo de Dios: escuchaba sus arrogantes palabras (v. 10, 11); observaba su prosperidad material (v. 12).

C. Y los versículos 13, 14 parecen revelar el impacto inicial que la prosperidad de los impíos había hecho en el mismo salmista.

III. Por la manera en que el salmista encontró la solución (vv. 16, 17a).

A. Agotó sus propios recursos intelectuales en busca de la solución, pero en vano (v. 16).

B. Encontró la solución mediante la íntima comunión con Dios (v. 17a). (Stg. 1:5 y Sal. 25:14).

IV. Por la comprensión que solucionó el problema (vv. 17b-28).

A. El salmista comprendió el destino final de los impíos (vv. 17b-20, 27).
B. El salmista comprendió la insensatez de sus dudas (vv. 21, 22).
C. El salmista comprendió lo que Dios hacía por él (vv. 23, 24).
  1. Le acompañaba siempre (v. 23). (Juan 14:18; Mat. 28:20b).
  2. Le guiaba con su consejo (v. 24a).
  3. Le infundía seguridad respecto a un glorioso porvenir (v. 24b). Véanse Sal. 16:7-11; Juan 14:1-3.
D. El salmista comprendió lo que Dios era para él (vv. 25, 26).
  1. Su completa satisfacción (vv. 25).
  2. Su roca de defensa (v. 26b; 2 Sam. 22:2, 3; Sal. 18:2, 3).
  3. Su eterna porción (v. 26c; Sal. 16:5, 6).

En la Versión Reina-Valera Actualizada el Salmo 73 lleva este encabezado: "Prosperidad ilusoria de los impíos." ¡Qué bien capta este encabezado la verdad central del salmo! Es sólo ilusoria la prosperidad que ofrece el mundo. La verdadera prosperidad es la que Dios concede a los que se arrepientan de sus pecados y confían en Cristo como su único Salvador y se someten a él como su Soberano Señor. Esta realidad fue lo que inspiró la escritura de esta hermosa poesía:

Cuando combatido por la adversidad
creas ya perdida tu felicidad,
mira lo que el cielo para ti guardó,
cuenta las riquezas que el Señor te dio.
¿Andas agobiado por algún pesar?
¿Duro te parece esa cruz llevar?
Cuenta las promesas del Señor Jesús,
y de las tinieblas nacerá la luz.

Cuando de otros veas la prosperidad
y tus pies te lleven tras de su maldad,
cuenta las riquezas que tendrás por fe,
donde el polvo es oro que hollará tu pie.

¡Bendiciones, cuántas tienes ya!
Bendiciones, Dios te manda más.
Bendiciones, te sorprenderás
Cuando veas lo que Dios por ti hará.[1]

---

[1]Johnson Oatman, "Cuando combatido por la adversidad", Núm. 236 *Himnario Bautista* (El Paso: Casa Bautista de Publicaciones, 1978).

LA BREVEDAD DE NUESTRA VIDA TERRENAL

Salmo 90

La brevedad de nuestra vida terrenal es un tema que la Biblia trata con frecuencia. El patriarca Job decía: "Mis días son más veloces que la lanzadera del tejedor y se acaban sin que haya esperanza" (7:6). "Mis días son más veloces que un corredor; huyen sin lograr el bien; pasan como embarcaciones de junco, como un águila que se lanza sobre su comida" (9:25, 26). "El hombre, nacido de mujer, es corto de días y lleno de tensiones. Brota como una flor y se marchita; huye como una sombra y no se detiene" (14:1, 2). Cierta vez Isaías oyó una voz que le decía: "¡Proclámalo!" Y cuando preguntó qué debía proclamar, se le contestó: "Que todo mortal es hierba, y toda su gloria es como la flor del campo. La hierba se seca, y la flor se marchita; porque el viento de Jehovah sopla sobre ella. Ciertamente el pueblo es hierba" (Isa. 40:6, 7). Y Santiago, el hermano del Señor, dijo: "Vosotros, los que no sabéis lo que será mañana, ¿qué es vuestra vida? Porque sois un vapor que aparece por un poco de tiempo y luego se desvanece" (4:14). *Pero el pasaje más extenso sobre la brevedad de nuestra vida terrenal es el Salmo 90.* ¿Cómo desarrolla el salmista su tema?

I. Contrasta la brevedad de nuestra vida terrenal con la eternidad de Dios (vv. 1-6, 10).

A. Dios es eterno (vv. 1, 2, 4).
   1. Es "refugio" ("morada", VM) de su pueblo "de generación en generación" (v. 1).
   2. El eternamente "es", antes y después de toda su creación (v. 2). Recuérdese el significado del nombre "Jehovah" (Exo. 3:14, 15; Gén. 21:33; Sal. 135:13; Isa. 40:28).
   3. Para él el tiempo no cuenta (v. 4).

B. En cambio, la existencia nuestra es efímera (vv. 3, 5, 6, 10).
   1. Todos nos volvemos al polvo (v. 3). (Gén. 3:19c; Ecl. 12:7).
   2. La muerte nos lleva como un río crecido que arrasa todo lo que está en su camino (v. 5a).
   3. Nos marchitamos como la hierba del campo (v. 5; Sal. 103:15, 16).
   4. ¿Qué son nuestros breves 70 u 80 años (v. 10) en comparación con la eternidad de Dios?

II. Atribuye la brevedad de nuestra vida terrenal al pecado (vv. 7-9, 11).

A. Moisés fue testigo de esta realidad.
   1. Vió perecer en un sólo día a 3.000 por haber adorado al becerro de oro que hicieron mientras él había estado recibiendo las tablas de la Ley (Exo. 32:25-28).

2. Después, durante 38 años, vió perecer a los 603.548 varones (todos los censados en Núm. 2:46 menos Josué y Caleb), que se negaron a creer en la capacidad de Jehovah de darles la tierra prometida. Esto significaba un promedio diario de 43 funerales para varones, aparte de las mujeres.

B. Las Escrituras afirman la universalidad de esta realidad.
   1. Fue declarada antes del primer pecado (Gén. 2:17).
   2. Fue reafirmada tanto en el Antiguo Testamento como en el Nuevo (Sal. 37:38; Eze. 18:4, 20; Rom. 5:12-14; 6:23a).

III. Indica que la brevedad de nuestra vida terrenal es motivo de oración (vv. 12-17).

A. Nos mueve a pedir sabiduría (v. 12; Ef. 5:15-18. Stg. 1:5, 6).
B. Nos mueve a pedir misericordia, o sea compasión (vv. 13, 14a, 15; Luc. 18:10-13).
C. Nos mueve a pedir gozo en medio de nuestras aflicciones (vv. 14b, 15).
D. Nos mueve a pedir manifestaciones gloriosas de la obra de Dios (v. 16).
E. Nos mueve a pedir confirmación divina de la obra nuestra (v. 17).

¡Qué grato es saber que en medio de las incertidumbres y dificultades de nuestra breve vida terrenal, el Eterno Dios nos ofrece sabiduría, misericordia, gozo y la gloria de su presencia y poder! Conmovido por la grandeza de esta realidad, Isaac Watts escribió en 1719 un himno titulado: *"Oh Dios, socorro de ayer."*[1] ¡Cantémoslo, pues, y regocijémonos en la grandeza y poder de nuestro Dios!

Y si nos acompaña alguna persona que aún no tiene la certeza de su eterna salvación, pase al frente, por favor, y nuestro pastor o alguien designado por él le indicará cómo disfrutar de la paz y seguridad que Dios ofrece a todos los que se arrepienten de sus pecados y confían en su Hijo Jesús para el perdón y la vida eterna.

[1]Isaac Watts, "Oh Dios, socorro de ayer", Núm. 219 *Himnario Bautista* (Casa Bautista de Publicaciones, 1978).

UN TESTIMONIO INSTRUCTIVO

Salmo 119:11

El libro de los Salmos es intensamente personal. En él diversos hombres de Dios testifican de sus alegrías y de sus tristezas, de sus victorias y de sus derrotas, de sus certezas y de sus dudas. Como dijo Pablo de las experiencias de Israel durante su larga peregrinación desde Egipto a la tierra prometida:

"Estas cosas les acontecieron como ejemplos, y están escritas para nuestra instrucción, para nosotros sobre quienes ha llegado el fin de las edades" (1 Cor. 10:11). Hoy, pues, vamos a meditar en el testimonio instructivo que nos dejó el autor del Salmo 119 cuando en el versículo 11 dijo a Dios: "En mi corazón he guardado tus dichos para no pecar contra ti." *Este breve testimonio nos instruye respecto a tres cosas.* ¿Cuáles son?

I. Nos instruye respecto a un grave peligro: el de pecar contra Dios.

A. El pecado nos priva de *la ayuda de Dios en esta vida presente.* Poco antes de la muerte de Moisés, Dios le mandó decir a Israel lo que les sucedería si pecaran contra él. "Aquel día se encenderá contra él mi furor. Yo los abandonaré; esconderé de ellos mi rostro, y serán consumidos. Muchos males y angustias les vendrán. En aquel día dirá: '¿Acaso no me han sobrevenido estos males porque mi Dios no está en medio de mí?' " (Deut. 31:17, 18). Y siglos después, por medio de Jeremías, Dios reprendió el pecado de Israel así: "Dos males ha hecho mi pueblo: Me han abandonado a mí, que soy fuente de aguas vivas, y han cavado para sí cisternas, cisternas rotas que no retienen el agua" (Jer. 2:13).

B. Y si no nos arrepentimos de nuestros pecados para confiar de corazón en Cristo como nuestro único Señor y Salvador, el pecado nos privará *de la presencia de Dios en la vida venidera.* En tales condiciones seremos "castigados con eterna perdición, excluidos de la presencia del Señor y de la gloria de su poder, cuando él venga en aquel día para ser glorificado en sus santos y ser admirado por todos los que creyeron" (2 Tes. 1:9, 10).

II. Nos instruye respecto a una protección adecuada: "Los dichos", o sea la Palabra de Dios.

A. La Palabra de Dios nos ilumina para prevenirnos contra los peligros espirituales que nos asechan y para guiarnos al amparo de Dios. "El mandamiento de Jehovah es puro; alumbra los ojos" (Sal. 19:7b). "Lámpara es a mis pies tu palabra, y lumbrera a mi camino" (Sal. 119:105). Por esto el autor del Salmo 43:3 oró a Dios así: "Envía tu luz y tu verdad; éstas me guiarán. Ellas me conducirán a tu monte santo y a tus moradas."

B. Además, la Palabra de Dios nos capacita para vencer las tentaciones que el enemigo nos pone delante. Como dice el Salmo 91:4, "Escudo y defensa es su verdad". Con esta defensa triunfó Cristo mismo cuando el diablo le atacó después de su largo ayuno en el desierto. Rechazó cada tentación con una apelación a las Sagradas Escrituras (Mat. 4:4, 7, 10).

III. Nos instruye respecto a una disciplina necesaria: La de "guardar", o sea "atesorar" la Palabra de Dios en nuestros corazones.

A. Esto significa que tenemos que *conocer* la Palabra de Dios. Logramos este conocimiento de tres maneras: oyendo la Palabra, leyéndola diariamente y estudiándola de acuerdo con algún plan.
B. Esto significa que tenemos que *recordar* la Palabra de Dios. Logramos esto al disciplinarnos en el aprendizaje de trozos selectos. El secreto de tal aprendizaje consiste en la repetición de una frase corta hasta que se nos grabe en la memoria, y luego proceder al aprendizaje de la frase que sigue. Cuando hayamos aprendido el pasaje completo, debemos repasarlo diariamente durante cuando menos dos semanas.
C. Esto significa que tenemos que *meditar* en lo que así hemos oído, leído, estudiado, y aprendido de memoria (Sal. 1:2; 119:97, 147).
D. Y, finalmente, esto significa que tenemos que *obedecer* la Palabra que hemos oído, leído, estudiado, recordado y meditado. Sin este paso final todo lo demás resulta en vano (1 Sam. 15:22, 23).

Ejemplo inspirador del cariño que todos debemos tener para la Biblia fue el testimonio que dio el moribundo "hermano Silverio", humilde creyente indígena que pertenecía a una misión de la Iglesia Bautista de Manzanillo, Colima, en la costa sur de México. El día 2 de diciembre de 1947 dicho hermano fue visitado por el comisario ejidal (jefe legal de la comunidad agraria en que vivía) para decirle que si no abandonaba sus creencias "heréticas" iban a ver que le fuera quitada la parcela de terreno que cultivaba su familia. Al escuchar aquella amenaza, el hermano Silverio pidió que le trajeran la Biblia. Y cuando la tuvo en su mano, dijo a su esposa: "Aquí está tu parcela, tu herencia y la de mis hijos. A nadie se la entregues. Léanla mucho ..." Y con voz entrecortada, pero en pleno conocimiento, pidió que cantaran su himno favorito. Les acompañó en cuatro palabras solamente, y entregó su espíritu en la más dulce quietud.

Para terminar, les invito a unirse conmigo en el canto del himno "Padre, tu palabra es".[1] Y mientras cantamos, pidámosle a Dios perdón si hemos sido negligentes respecto a la lectura y estudio de su Palabra, y comprometámonos a atesorar sus dichos en nuestro corazón para no pecar contra él, y para recibir la inspiración e instrucción que nos hacen falta para ser fructíferos testigos de su gracia y poder para salvar.

---

[1]Juan Cabrera, "Padre, tu palabra es", Núm. 142 *Himnario Bautista* (El Paso: Casa Bautista de Publicaciones, 1978).

ORACION POR UN DESPERTAR ESPIRITUAL

Salmo 126

El centro unificador de este Salmo es la oración que se encuentra en su versículo cuatro. ¿Cómo se relaciona el contenido total del Salmo con esta oración?

I. Según RVA los versículos 1 al 3 indican que esta oración fue hecha algún tiempo después de que Dios "restauró de la cautividad a Sión".[1]

A. Al morir el Rey Salomón, su reino se dividió. Las diez tribus del norte se rebelaron y formaron el Reino de Israel. Todos sus reyes y la mayoría de sus habitantes dejaron de adorar a Jehovah, y se hicieron idólatras. Por eso fueron llevados cautivos por los Asirios en 722 a. de J.C. Pero lejos de "escarmentar en cabeza ajena", las dos tribus del sur se hicieron idólatras también. El resultado fue que entre los años 605 y 586 a. de J.C. los Babilonios sitiaron a Jerusalén, incendiaron la ciudad y llevaron en cautiverio a todos los sobrevivientes, menos algunos de los más pobres.

B. En el año 537 a de J.C., Ciro el persa permitió regresar a Judea a unos 50,000 judíos bajo el mando de Zorobabel. Estos pusieron los cimientos del nuevo templo, pero la obra fue parada por intrigas de los árabes y samaritanos. En el año 520 a. de J.C. el rey Darío autorizó que la obra fuese reanudada. Entonces, bajo la dirección del Gobernador Zorobabel y el sacerdote Josué, y con el apoyo de los profetas Hageo y Zacarías, el nuevo templo fue terminado en el año 516 a. de J.C. Pero las intrigas de los enemigos continuaron, y no fue sino hasta el año 444 a. de J.C. que Nehemías logró reconstruir el muro de Jerusalén.

C. Evidentemente fue algún tiempo después del retorno de los 50.000, cuando aún estaba vivo el recuerdo de su liberación, pero cuando ya empezaban las dificultades y el enfriamiento de la dedicación de los que habían regresado, que este salmo fue escrito.

II. El versículo 4 nos da el contenido de la oración.

A. Desde el punto de vista climático del Néguev (la región desértica del sur de Palestina), donde las prolongadas sequías suelen terminar en violentos aguaceros que producen repentinas inundaciones, la oración pide una poderosa intervención de Dios, un cambio radical de la situación (Jer. 33:3 y Juan 15:16).

B. Desde el punto de vista del simbolismo bíblico del agua, la oración pide una manifestación poderosa del Espíritu Santo (Zacarías 4:6 y Juan 7:37-39).

C. De análoga manera, nosotros debemos estar pidiéndole a Dios una volcánica explosión espiritual que resulte en la conversión de millones de almas. Esto requiere que todos seamos "llenos del Espíritu". ¡Es tiempo de ser consecuentes en nuestra obediencia al doble mandato de Efesios 5:18!

III. Los versículos 5 y 6 nos indican tres cosas que tenemos que hacer para que Dios nos conceda el despertar espiritual ya pedido.

A. Tenemos que *salir* a donde está la gente.
1. Puesto que el único imperativo en La Gran Comisión es "haced discípulos" y que los demás verbos son sólo participios, algunos alegan que deberíamos leer: "Yendo (o mientras vais), haced discípulos ..."
2. Es verdad que mientras vamos de sitio en sitio en el desempeño de nuestras obligaciones cotidianas, debemos procurar "hacer discípulos". Pero esto no nos exime de la obligación de "ir". Mateo 28:18-20 tiene que interpretarse a la luz de Juan 17:18 y 20, 21. ¡Como el Padre envió a su Hijo Unigénito, éste nos envía a nosotros!

B. Tenemos que *llorar*, o sea *compadecernos*, tanto de los perdidos como de los creyentes inmaduros.
1. Jesús lloró sobre Jerusalén (Luc. 19:41).
2. Pablo recordó a los Efesios "que por tres años, de noche y de día" no cesó "de amonestar con lágrimas a cada uno" (Hech. 20:31). "Añoraba" a los filipenses "con el profundo amor de Cristo Jesús" (Fil. 1:8). Fue "tierno" entre los Tesalonicenses, "como la nodriza que cría y cuida a sus propios hijos" (1 Tes. 2:7). Y se dirigió a los Gálatas así: "Hijitos míos, por quienes vuelvo a sufrir dolores de parto hasta que Cristo sea formado en vosotros ..." (Gál. 4:19).
3. Pero semejante compasión no puede ser fingida ni fabricada. Tiene que ser derramada en nuestros corazones por el Espíritu Santo (Rom. 5:5), pues es parte esencial de su "fruto" (Gál. 5:22, 23).

C. Tenemos que *sembrar* la preciosa semilla de la Palabra de Dios.
1. Su Palabra engendra vida espiritual (1 Ped. 1:23).
2. Su Palabra edifica a los creyentes (2 Tim. 3:16, 17).

D. Si somos fieles en salir a donde Dios nos envíe, "con regocijo" segaremos (v. 5). Si somos fieles en ir "llorando, llevando la bolsa de semilla", volveremos "con regocijo, trayendo" nuestras "gavillas" (v. 6).

¡El noble pueblo de habla hispana necesita conocer a Dios! ¿Estamos dispuestos a ayudarles? Vamos a cantar el himno "Salgamos fieles a anunciar".[2]

Si usted desea comprometerse a participar activamente en la siembra del Evangelio entre sus parientes y conocidos, favor de pasar al frente mientras cantamos.

---

[1]TA, RV, 1909 y RVR, 1960 ponen los verbos de los versículos, 1, 2 en el futuro imperfecto, indicando fe en una liberación futura. VM, BJ, RVR, 1977, VP, BA y RVA los ponen en tiempo pretérito, indicando una liberación ya consumada.

[2]G. V. Rodríguez, "Salgamos, fieles a anunciar", Núm. 286 *Himnario Bautista* (El Paso: Casa Bautista de Publicaciones, 1978).

LA AGRADABLE BONDAD DE LA UNIDAD DEL PUEBLO DE DIOS

Salmo 133

La unidad del pueblo de Dios es un concepto a menudo malentendido y demasiado descuidado. Se malentiende porque tendemos a confundir la unidad con la uniformidad. Pero Dios no parece tener mucho interés en la uniformidad. Evidencia abunda en la esfera física. Se ha observado, por ejemplo, que no hay dos copos de nieve que sean idénticos ni dos individuos que tengan las mismas huellas digitales. Y cuando consideramos la esfera de la personalidad humana, no tardamos en comprobar que "cada cabeza es un mundo". Pero aunque Dios no se preocupa porque su pueblo sea uniforme, sí quiere que sea uno. Varios pasajes bíblicos hacen hincapié en esta verdad. Uno de ellos es el Salmo 133.

El tema de este Salmo es la agradable bondad de la unidad del pueblo de Dios. En el primer versículo, mediante un enfático "¡He aquí!" o "¡Mirad" (RVR, 1960), el salmista declara categóricamente que la unidad del pueblo de Dios es "buena y agradable". Y en los versículos restantes, mediante dos comparaciones, describe dicha "agradable bondad". De acuerdo, pues, con estas comparaciones, ¿en qué consiste la agradable bondad de la unidad del pueblo de Dios?

I. Consiste en su atracción (v. 2).

A. El salmo dice que la unidad del pueblo de Dios "es como el buen aceite sobre la cabeza, el cual desciende sobre la barba, la barba de Aarón, y baja hasta el borde de sus vestiduras". Los ingredientes de que se componía aquel aceite se especifican en Exodo 30:22, 23. ¡Era un compuesto que olía bien! Y esto significa que la unidad del pueblo de Dios es "buena y agradable" porque es *fragante*, o sea *atrayente*.

B. En contraste, el mundo inconverso se caracteriza por la discordia. Entre "las obras de la carne" el apóstol Pablo incluyó "enemistades, pleitos, celos, ira, contiendas, disensiones, partidismos... y cosas semejantes a éstas" (Gál. 5:20, 21). Tales cosas dividen. Y si los inconversos las ven entre nosotros, no debe extrañarnos su rechazo de nuestras invitaciones.

C. Por esto fue que el apóstol Pablo a menudo exhortaba a las iglesias a esforzarse por cultivar y mantener la unidad en su compañerismo.
   1. "Os exhorto, pues, hermanos, por el nombre de nuestro Señor Jesucristo, a que os pongáis de acuerdo y que no haya más disensiones entre vosotros, sino que estéis completamente unidos en la misma mente y en el mismo parecer" (1 Cor. 1:10).
   2. "Solamente que os comportéis como es digno del evangelio de Cristo, para que o sea que vaya a veros, o que esté ausente, oiga de vosotros que estáis firmes en un mismo espíritu, combatiendo unánimes por la fe del evangelio" (Fil. 1:27, RVR, 1960).
   3. "Os exhorto a que andéis como es digno del llamamiento con que fuisteis llamados: con toda humildad y mansedumbre, con paciencia, soportándoos los unos a los otros en amor; procurando con diligencia guardar la unidad del Espíritu en el vínculo de la paz" (Ef. 4:1-3).

D. Tales pasajes subrayan la importancia de la unidad del pueblo de Dios como un potente instrumento para interesar a los inconversos en la posibilidad de conocer una vida mejor.

II. Consiste también en su productividad (v. 3).

A. El salmista compara la unidad del pueblo de Dios con "el rocío del Hermón que desciende sobre los montes de Sión; porque allá enviará Jehovah bendición y vida eterna". Quiere decir que la unidad del Pueblo de Dios es agradable porque produce fruto para la gloria de Dios.

B. En tiempo del salmista, para el riego de sus cultivos, los agricultores israelitas dependían mucho de los copiosos rocíos nocturnos. Pero no hemos de pensar que el salmista estaba pensando principalmente en una cosecha material. Todo piadoso Israelita estaba familiarizado con la insistencia bíblica en la prioridad de los valores espirituales. Sabía con el escritor del libro de Proverbios, que "la sabiduría es mejor que las perlas; nada de lo que desees podrá compararse con ella" (Prov. 8:11).

C. La verdad es que la estrecha relación que el salmista señalaba entre la unidad del Pueblo de Dios y su capacidad para ser fructífero debe ser interpretada a la luz del Nuevo Testamento. Y allí no hay pasaje más apropiado que considerar que la intercesión que hizo Jesús poco antes de su crucifixión.
   1. En aquella plegaria el Señor oró por la unidad de los discípulos que entonces tenía (Juan 17:11).
   2. Pero oró también por la unidad de todos los que habríamos de creer en él hasta el fin del mundo. Y al hacerlo hizo hincapié sobre la estrecha relación que existe entre nuestra unidad como pueblo

suyo y la posibilidad de que "el mundo crea" y que "el mundo conozca" que Dios les ama y que envió a su Hijo para salvarlos (Juan 17:20-23) .

¡Ya es tiempo de comprender que uno de los principales estorbos a la evangelización del mundo consiste en la falta de unidad en el propio pueblo cristiano! Y el lugar donde debemos empezar a remediar este trágico defecto es la congregación local de la cual cada uno de nosotros forma parte. ¿Habremos ofendido a algún hermano? ¡Pidámosle perdón y hagamos todo lo que debamos para rectificar la falta! ¿Habremos sido ofendidos por otro hermano? ¡Oremos por él y perdonémosle! Como dijo Pablo, "si es posible, *en cuanto dependa de vosotros*, tened paz con todos los hombres" (Rom. 12:18). ¡Esta es la voluntad de Dios!

Si estamos dispuestos a hacer lo que sea de nuestra parte para que no haya en nosotros ninguna falta de unidad que empañe el brillo del Evangelio o que estorbe la productividad evangelística y misionera de la congregación de la cual formamos parte, digámoslo al Señor mientras cantamos el himno final.[1]

---

[1]Juan Bautista Cabrera, "Amémonos, Hermanos", Núm. 256 *Himnario Bautista* (El Paso: Casa Bautista de Publicaciones, 1978).

NUESTRA AYUDA
Salmo 146

El hombre que escribió este Salmo estaba contentísimo. Tan feliz se sentía que, no teniendo con quién más hablar, hablaba consigo mismo. Exhortaba a su propia alma a alabar a Dios, y prometió seguir alabándole durante toda su vida. "¡Aleluya!", exclamó, "¡Alaba, oh alma mía, a Jehovah! Alabaré a Jehovah en mi vida; a mi Dios cantaré salmos mientras viva" (vv. 1, 2). El motivo de su alabanza se encuentra en el versículo 5: "Bienaventurado aquel cuya ayuda es el Dios de Jacob, cuya esperanza está puesta en Jehovah su Dios." *Esta última bienaventuranza del libro de los Salmos enseña dos cosas importantes respecto a la ayuda que a todos nos hace falta.* ¿Cuáles son?

I. Enseña que nuestra ayuda es Dios mismo: "Bienaventurado aquel cuya ayuda es el Dios de Jacob" (v. 5a).

A. Lo enseña *negativamente* al señalar la inefectividad de toda ayuda humana. "No confiéis en príncipes ni en hijo de hombre", nos dice, "porque no hay en él liberación. Su espíritu ha de salir, y él volverá al polvo. En aquel día perecerán sus pensamientos" (vv. 3, 4).

1. Jeremías recalcó esta realidad: "Maldito el hombre que confía en el hombre, que se apoya en lo humano y cuyo corazón se aparta de Jehovah. Será como la retama en el Arabá; no verá cuando venga el bien, sino que morará en los pedregales del desierto, en tierra salada e inhabitable" (Jer. 17:5, 6).
2. E Isaías le dio una aplicación específica: "Los egipcios son hombres, no dioses. Sus caballos son carne, no espíritu. De manera que cuando Jehovah extienda su mano, tropezará el que da la ayuda, y caerá el que la recibe. Todos ellos serán exterminados juntamente" (Isa. 31:3).

B. Lo enseña *positivamente* al destacar un ejemplo de la gracia de Dios y al señalar distintas maneras en que su gracia se manifiesta, vv. 5-9.
1. Esta bienaventuranza destaca un ejemplo de la gracia de Dios al referirse a él como "el Dios de Jacob". El nombre "Jacob" significa "el que toma por el calcañar" o sea "el que suplanta". Describe bien a un hombre astuto, capaz de aprovecharse de la debilidad de su hermano gemelo, y de aprovecharse de la ceguera de su anciano padre para engañarle con mentiras (Gén. 27:1-36). Pero en su gracia Dios luchó largamente con Jacob para transformarle en un hombre que reconoció su pecado y llegó a depender, no de su propia astucia, sino de la misericordia divina. Por eso su nombre fue cambiado en "Israel", que significa "el que lucha con Dios, o Dios lucha" (Gén. 32:27, 28).[1]
2. Esta bienaventuranza destaca los frutos de la gracia de Dios al señalar distintas maneras en que Dios suele manifestarse a los necesitados: (1) Hace justicia a los oprimidos (v. 7a). (2) Da pan a los hambrientos (v. 7b). (3) Suelta a los prisioneros (v. 7c). (4) Abre los ojos a los ciegos (v. 8a). (5) Levanta a los que han sido doblegados (v. 8b). (6) Ama a los justos (v. 8c). (7) Guarda a los forasteros (v. 9a). (8) Sostiene al huérfano y a la viuda (v. 9b). Y (9) trastorna el camino de los impíos (v. 9c).

II. Enseña que la ayuda de Dios se obtiene por fe: "Bienaventurado aquel... cuya esperanza está puesta en Jehovah su Dios" (v. 5b).

A. Debemos confiar en Dios por causa de su poder. Él es "quien hizo los cielos, la tierra, el mar y todo lo que en ellos hay" (v. 6a). El poder creador de Dios es garantía de que puede cumplir sus promesas.

B. Debemos confiar en Dios por causa de su fidelidad. El "guarda la verdad para siempre" (v. 6b). BJ traduce, "guarda por siempre lealtad". VP tiene "El siempre mantiene su palabra". TA dice, "Mantiene eternamente la verdad de sus promesas". Y José González Brown traduce, "que guarda fidelidad por siempre".[2] La fidelidad de Dios es garantía de que quiere cumplir sus promesas.

C. Debemos confiar en Dios por causa de su soberanía (v. 10). "Jehovah reinará para siempre; tu Dios, oh Sión, de generación en generación". La eterna soberanía de Dios es garantía de que no habrá nadie ni nada que impida ell cumplimiento de sus promesas.

¿Está usted experimentando la bienaventuranza de que Dios nos habla en este salmo? En sus tristezas, ¿experimenta su consuelo? En sus tentaciones, ¿experimenta su protección? En sus debilidades, ¿experimenta su poder? En sus perplejidades, ¿experimenta su dirección? En sus soledades, ¿experimenta su presencia? En sus tempestades, ¿experimenta su paz? En la vergüenza de sus pecados, ¿experimenta su perdón? ¡Todo esto y más le quiere dar! Sólo tiene que arrepentirse de sus pecados y, repudiando toda otra esperanza, confiar de corazón en el Hijo de Dios, Jesucristo, como su único Señor y Salvador. Si esta es su decisión, o si desea más explicación, mientras cantamos el himno de invitación,[3] pase al frente para que oremos con usted y le ayudemos en esta importante decisión.

---

[1]Para una discusión más amplia de la manera en que Dios en su gracia luchó con Jacob, véase James D. Crane, *La oración cristiana* (El Paso Texas: Casa Bautista de Publicaciones, 1991), págs. 20-24.

[2]José González Brown, *Libro de los Salmos* (México; Editorial Porrúa, S.A., 1966), pág. 261.

[3]Posibilidades son los números 189, 195, 198 y 208 del *Himnario Bautista.*

UNA CUADRUPLE REVELACION DE DIOS

Isaías 6:1-8

En un pasaje aparentemente poco conocido del profeta Jeremías leemos lo siguiente: "Así ha dicho Jehovah: No se alabe el sabio en su sabiduría, ni se alabe el valiente en su valentía, ni se alabe el rico en sus riquezas. Más bien, alábese en esto el que se alabe: en entenderme y conocerme que yo soy Jehovah, que hago misericordia, juicio y justicia en la tierra. Porque estas cosas me agradan, dice Jehovah" (Jer. 9:23, 24). En otras palabras, el profeta nos está diciendo que lo más importante en la vida es conocer personalmente a Dios.

Dios se nos ha dado a conocer de varias maneras: por medio de las maravillas de la creación (Sal. 19:1; Rom. 1:19, 20); por medio del testimonio de las Sagradas Escrituras (Juan 5:39); por medio de la voz interna de nuestra conciencia (Rom. 2:14, 15); y supremamente por medio del envío de su Hijo Jesucristo (Heb. 1:1, 2). Pero ha habido ocasiones en que se ha dado a conocer mediante las crisis personales de sus siervos. Así le sucedió cierta vez al profeta Isaías.

En un momento crítico de su vida, Dios le concedió a Isaías una cuádruple revelación de sí mismo. ¿De aquella experiencia de Isaías, qué aprendemos nosotros acerca de la persona de Dios, y cómo debe este conocimiento afectar nuestro diario vivir?

I. Aprendemos que Dios es el eterno rey (v. 1).

A. El rey Uzías había sido un gobernante competente (2 Crón. 26:1-15). Durante los cincuenta y dos años de su reinado hizo numerosas obras públicas, fortificó la ciudad de Jerusalén y logró mantener incólume la independencia nacional a pesar de las amenazas de naciones vecinas más poderosas. Pero Uzías había muerto, y el patriota profeta estaba preocupado por el bienestar de su país.

B. En respuesta a esta preocupación, Dios se reveló a Isaías como el *eterno Rey*, "sentado sobre un trono alto y sublime". El trono de Judá estaba vacante, pero el trono del universo estaba bien ocupado. ¡El futuro estaba en las manos de Dios!

C. Así es todavía. En el mundo que nos rodea abundan motivos para la preocupación. Pero nuestro Dios es "Rey de los siglos... inmortal, invisible y único" (1 Tim. 1:17). Es "poderoso para hacer todas las cosas mucho más abundantemente de lo que pedimos o entendemos, según el poder que actúa en nosotros" (Ef. 3:20). Por tanto, podemos vivir "confiando siempre ... porque andamos por fe, no por vista" (2 Cor. 5:6, 7).

II. Aprendemos que Dios es el Juez santo (vv. 2-5).

A. Por encima del trono celeste volaban los serafines, cantando: "¡Santo, santo, santo es Jehovah de los Ejércitos! ¡Toda la tierra está llena de su gloria!" Y la contemplación de la inmaculada santidad divina juzgó la pecaminosidad del profeta (v. 5).

B. ¡La santidad divina siempre juzga la corrupción humana! (Luc. 5:8 y Apoc. 1:17). En presencia de la acendrada pureza de Dios, reconocemos que "ciertamente no hay hombre justo en la tierra que haga lo bueno y no peque" (Ecl. 7:20). Y recordamos que "la paga del pecado es muerte" (Rom. 6:23). Por tanto, se nos impone la ineludible obligación de arrepentirnos (Hech. 3:19; 17:30, 31).

III. Aprendemos que Dios es el libertador eficaz (vv. 6, 7).

A. Al arrepentirse, Isaías recibió una doble liberación. Su culpa fue quitada (fue librado de la condenación que merecía) y su pecado fue perdonado (fue cubierta la vergüenza de sus fracasos).

B. Esta doble liberación fue efectuada por el toque del "carbón encendido tomado del altar". Se refiere al altar en que se inmolaban los sacrificios por el pecado, sacrificios que tipificaban el futuro sacrificio de Cristo, "el Cordero de Dios, que quita el pecado del mundo" (Juan 1:29).

C. Esta misma doble liberación sigue siendo efectuada en todo aquel que se arrepiente de su pecado y recibe por fe a Jesucristo como Señor y Salvador (Hech. 20:20, 21). ¿Ha sido efectuada en usted?

IV. Aprendemos que Dios es el buscador compasivo (v. 8).

A. No estaba satisfecho Dios con que sólo Isaías fuera librado de la culpa y vergüenza de su pecado. Anhelaba entonces y sigue anhelando hoy que esta misma liberación sea recibida por todos los humanos. "No quiere que nadie se pierda, sino que todos procedan al arrepentimiento" (2 Ped. 3:9). Desde Génesis 3:8, 9 hasta Apocalipsis 22:17 la Biblia revela como Dios está empeñado en buscar y llamar a pecadores para ofrecerles salvación.

B. La principal manera en que Dios efectúa esta búsqueda es por medio del envío de los suyos. Por eso fue que dijo a Isaías: "¿A quién enviaré, y quién irá por nosotros?" Y por esto nos dice a nosotros: "Todo aquel que invoque el nombre del Señor, será salvo. ¿Cómo, pues, invocarán a aquel en quien no han creído? ¿Y cómo creerán a aquel de quien no han oído? ¿Y cómo oirán sin haber quien les predique? ¿Y cómo predicarán sin que sean enviados?" (Rom. 10:13-15a).

C. Dios quiere que usted comparta con él esta búsqueda. También a usted le está diciendo: "¿A quién enviaré?" Quiere enviarle a su familia, a sus vecinos, a sus amigos y compañeros de trabajo o de escuela. Y pudiera ser que le quiera enviar a lugares extraños y a personas desconocidas. ¿Ha respondido como respondió Isaías? Si no, ¡hágalo ahora mismo!

BUSCA A DIOS
Isaías 55

A través de la Biblia hallamos escrita en letras de molde esta gran verdad: Dios busca al hombre pecador. Lo buscó en el Huerto de Edén (Gén. 3:8, 9). Lo siguió buscando mediante las bendiciones y los castigos de su divina providencia y mediante las amonestaciones de sus profetas. Y por fin le buscó mediante el envío de su amado Hijo quien declaró el propósito de su venida en las parábolas de Lucas 15:1-10 y en la afirmación de Lucas 19:10.

Pero emparejada con esta gran verdad está otra de igual importancia, a saber: que el hombre debe buscar a Dios. Uno de los notables pasajes bíblicos que encarecen este deber es Isaías, capítulo 55. ¿Qué nos enseña este bello pasaje acerca de nuestro deber de buscar a Dios?

I. Nos enseña por qué debemos buscar a Dios, a saber: porque sólo Dios satisface los anhelos y las necesidades de nuestro corazón (vv. 1, 2).

A. En forma poética Isaías presenta estos anhelos y necesidades bajo tres figuras: el agua, el vino y la leche (v. 1). El agua *refresca*; el vino *alegra*; la leche *nutre e imparte vigor*. El hombre anhela algo que satisfaga su sed espiritual; algo que le consuele en sus momentos de dolor; algo que le fortalezca en sus pruebas y tentaciones. En una palabra, está buscando *satisfacción espiritual*.

B. Pero el mundo *nunca* satisface (v. 2). El hombre se afana, trabaja y se deshace en un frenético ir y venir. Prueba todo lo que el mundo ofrece, y al fin de la jornada se queda con las manos vacías, con el corazón doliente, con recuerdos amargos y sin esperanza para el porvenir.

C. En cambio, Dios *sí* satisface. Nuestra sed espiritual es nada menos que sed de Dios (Sal. 42:1, 2a). Por esto el Señor Jesús nos invita a venir a él para saciar nuestra sed y luego ser convertidos en canales idóneos para comunicar esta satisfacción a otros (Juan 7:37, 38).

II. Nos enseña que la manera correcta de buscar a Dios es por el arrepentimiento y la fe (v. 7).

A. Tal vez sea cierto que "todos los caminos conducen a Roma", pero hay uno solo que conduce a Dios. No importa ni la sinceridad que nos caracterice ni el celo que nos anime, si no buscamos a Dios por el camino establecido por él, nunca lo encontraremos. Este camino es el del arrepentimiento y de la fe (Hech. 20:20, 21).

B. El arrepentimiento significa apartarnos de dos cosas: de nuestro impío camino (lo malo que hacemos) y de nuestros inicuos pensamientos (lo malo que somos). Cometemos maldades (Ecl. 7:20) porque somos malos (Jer. 17:9). Tenemos que reconocer y apartarnos de ambas realidades.

C. La fe significa "volver a Dios" confiando tanto en su misericordia para recibirnos, como en su fidelidad y poder para cumplirnos lo que nos ofrece.

III. Nos enseña que si buscamos a Dios de la manera ya indicada, recibiremos de él cuatro tremendas bendiciones (vv. 7b-13).

A. Recibiremos el amplio perdón de todos nuestros pecados (v. 7b)*.

B. Recibiremos gozo (v. 12; Juan 15:11).

C. Recibiremos paz (v. 12; Juan 14:27).

D. Recibiremos la transformación de nuestros caracteres (v. 13). Nuestra inutilidad será cambiada en utilidad ["en lugar del espino crecerá el ciprés"] y nuestra fealdad será cambiada en hermosura ["y en lugar de la ortiga, el mirto"].

IV. Nos enseña que el tiempo de buscar a Dios es ahora mismo (v. 6).

A. Debemos buscar a Dios ahora mismo por causa de la brevedad de nuestra vida, cuya duración las Escrituras comparan con la hierba

(Sal. 103:15), la neblina (Stg. 4:14), la lanzadera del tejedor (Job. 7:6) y el paso de un una nave veloz (Job 9:26).

B. Debemos buscar a Dios ahora mismo porque es peligroso presumir de su paciencia (Gén. 6:3; Prov. 1:24-26).

¿Qué más necesita oír? El Soberano Dios, Creador y Sustentador del universo le busca. Le ama y quiere perdonar sus pecados y colmarle de gozo y de paz. Quiere transformar su vida totalmente. Pero no lo hará si no reconoce que su pecado le ha separado de él y le conduce inexorablemente a un destino de decepción en esta vida y de inalterable condenación después. Debe corresponder a la búsqueda de Dios con su propia búsqueda de él. Arrepiéntase, pues, de sus pecados y confíe de corazón en Cristo Jesús como su único Salvador. Por esto le decimos con el himnólogo: "Ven a Cristo, ven ahora, ven así cual estás; y de él sin demora el perdón obtendrás."

Ilustración

* En uno de sus sermones el evangelista argentino Alfonso Olmedo cuenta de un pastor que viajaba en tren. Enfrente de él iba un joven que daba muestras de estar muy nervioso. Después de breves palabras de saludo, el pastor se identificó y dijo: "Joven, veo que algo te preocupa. Si puedo, me gustaría ayudarte." El joven no se hizo de rogar. Dijo que hacía tiempo, había ofendido gravemente a su padre y tuvo que salir del hogar. Pero habiendo reconocido su culpa, le había escrito, pidiéndole perdón y diciéndole que en ese día quería volver al hogar. Pero no sabiendo si su padre querría perdonarle, le había pedido como señal que colgara un paño blanco en una rama del manzano que crecía frente a la casa y cerca de la vía del ferrocarril. Si veía la señal, se bajaría en la estación del pueblo. "Pero temo mirar", dijo. "Quizá mi padre no me quiera perdonar." "Tranquilízate, joven", dijo el pastor. "Yo miraré por ti". Y un momento después exclamó: "¡Joven, mira! ¡Hay un paño blanco colgando en cada rama del manzano!"

¡Así de amplio, amigo mío, es el perdón que te ofrece Dios!

EL YUGO QUE NOS HACE DESCANSAR

Mateo 11:28-30

La palabra "yugo" aparece en la Biblia 59 veces. Seis veces su significado es literal.[1] Pero en los otros 53 casos tiene sentido figurado. A veces indica subyugación involuntaria a cargas de opresión humana. Refiriéndose a su liberación de Israel de la esclavitud egipcia, Dios dijo: "Yo rompí las coyundas de su yugo" (Lev. 26:13). Las duras cargas laborales que Salomón impuso sobre sus súbditos se describen como "un pesado yugo" (2 Crón. 10:4). E Isaías exhortó a Israel a esforzarse por romper "todo yugo" de injusticia y de explotación que existía en su derredor (Isa. 58:6, 7).

Moisés advirtió a Israel que si no servían a Jehovah "con alegría y gozo de corazón", "una nación cuyo idioma no entiendas" les impondría "un yugo de hierro" (Deut. 28:47-50). Y siglos después Jeremías señaló el cumplimiento de aquella advertencia así: "El Señor Jehovah de los Ejércitos dice: Tu maldad te castigará, y tu apostasía te condenará. Reconoce, pues, y ve cuán malo y amargo es el haber abandonado a Jehovah tu Dios y el no haberme temido. Porque desde hace mucho quebraste tu yugo" (es decir: el yugo de Dios sobre ellos) "y rompiste tus coyundas. Dijiste: ¡No serviré!" (Jer. 2:19, 20). Al no someterse al yugo de obediencia a Dios, tuvieron que soportar un yugo de opresión, impuesto en ese caso por Babilonia (Jer. 27:12).

Esta disyuntiva aún está vigente. No hay vida sin yugo. Nuestra única opción consiste en escoger entre dos posibilidades. O nos sometemos al benéfico yugo de Dios o permanecemos bajo el oneroso yugo del pecado. De esto trata la porción bíblica en que hemos de meditar ahora. *En este pasaje el Señor Jesús afirma que cuando llevamos sobre nosotros el yugo de una completa sumisión a la voluntad de él, este yugo nos hace descansar.* ¿De qué, pues, descansamos al llevar el yugo de Jesús?

I. Descansamos de nuestras culpas pasadas.

A. La Biblia emplea varias expresiones para describir distintos aspectos de nuestra culpa ante Dios. Pensemos en dos de ellas.
   1. Somos culpables de *pecado*, o sea de haber errado el blanco, de no haber alcanzado la meta que Dios nos asigna (Deut. 10:12, 13 y Miq. 6:8). Ante la magnitud de tales demandas, todos tenemos que confesar que, como afirma Romanos 3:23, nos hemos quedado bien cortos.
   2. Somos culpables también de *transgresión*, o sea de *rebelión* en contra de las justas y razonables demandas de Dios. Y si persistimos en tal rebeldía, Dios dice:
      "Los transgresores serán todos juntos destruidos" (Sal. 37:38a).

B. Pero cuando nos arrepentimos de nuestros pecados (de las cosas buenas que hemos dejado de hacer) y de nuestras transgresiones (de las cosas malas que hemos hecho) y recibimos por fe a Jesucristo como nuestro único Salvador y Soberano Señor, "él es fiel y justo para perdonar nuestros pecados y limpiarnos de toda maldad" (1 Jn. 1:9). Entonces descansamos de las culpas de nuestro pasado (Sal. 32:1).

II. Descansamos de nuestras debilidades presentes.

A. Al tomar sobre nosotros el yugo de Jesús entramos en conflicto desigual con tres potentes enemigos.
   1. Con el mundo que nos aborrece (Juan 15:18, 19).
   2. Con nuestra propia naturaleza carnal que nos estorba (Gál. 5:17).
   3. Con el diablo quien moviliza todas las fuerzas espirituales de la maldad para derrotarnos (Ef. 6:12).

B. Frente a este "triunvirato del infierno" nos sentimos débiles. Y como el siervo de Eliseo quien veía que la ciudad de Dotán estaba cercada de "gente de a caballo, carros y un gran ejército", clamamos: "¡Ay, señor mío! ¿Qué haremos?" Pero la respuesta que él recibió es para nosotros también: "No tengas miedo, porque más son los que están con nosotros que los que están con ellos" (2 Rey. 6:14-16).

C. Al someternos, pues, al yugo de Jesús, ya no andamos solos. Estamos uncidos con él, y su divino poder nos hace descansar de nuestra humana debilidad. Experimentamos lo que Pablo experimentaba, y nos unimos con él para decir, "¡Todo lo puedo en Cristo que me fortalece!" (Fil. 4:13).

III. Descansamos de nuestros temores respecto al porvenir.

A. La noche antes de su crucifixión el Señor Jesús dijo a sus apóstoles: "No se turbe vuestro corazón. Creéis en Dios; creed también en mí. En la casa de mi Padre muchas moradas hay. De otra manera, os lo hubiera dicho. Voy, pues, a preparar lugar para vosotros. Y si voy y os preparo lugar, vendré otra vez y os tomaré conmigo; para que donde yo esté, vosotros también estéis" (Juan 14:1-3). Años después, cuando estaba exiliado en la Isla de Patmos, el apóstol Juan tuvo una visión de Jesús que nos describe así: "Cuando le vi, caí como muerto a sus pies. Y puso sobre mí su mano derecha y me dijo: No temas. Yo soy el primero y el último, el que vive. Estuve muerto, y he aquí vivo por los siglos de los siglos. Y tengo las llaves de la muerte y del Hades" (Apoc. 1:17, 18).

B. ¡Este es el mismo Jesús con quien estamos uncidos todos los que nos hemos arrepentido de nuestros pecados para creer en él como nuestro único Señor y Salvador! ¿Cómo hemos de temer respecto al porvenir?

Amigo, ¿se ha sometido usted ya al yugo de Jesús? Si no, seguirá sin verdadero descanso, no sólo en esta vida presente, sino también por toda la eternidad. Ahora mismo él le está diciendo: "Venid a mí, todos los que estáis fatigados y cargados, y yo os haré descansar. Llevad mi yugo sobre vosotros, y aprended de mí, que soy manso y humilde de corazón; y hallaréis descanso para vuestras almas. Porque mi yugo es fácil, y ligera mi carga."

Si acepta someterse al benéfico yugo de Jesús, manifieste su decisión con levantar su mano mientras cantamos el himno de invitación.

---

[1]Núm. 19:2; Deut. 21:3; 1 Sam. 6:7; 2 Sam. 24:22; Jer. 27:2; 28:10.

EVANGELIZACION MUNDIAL
Mateo 14:13-21

De los conocidos treinta y cinco milagros de Jesús, el único que se narra en cada uno de los cuatro Evangelios es la alimentación de los cinco mil. Ocurrió aquel milagro aproximadamente un año antes de la crucifixión. Acababa de saber el Señor del asesinato de su precursor. Parece que dicha noticia le recordaba que su propia muerte se acercaba, y que necesitaba acelerar la preparación de sus apóstoles para la tarea que recaería en ellos después. Así fue que durante los siguientes meses, varias veces procuraba retirarse de las multitudes para pasar tiempo a solas con los doce.

Pero su primer intento de llevar a cabo semejante retiro fue interrumpido. Al embarcarse Jesús y sus apóstoles hacia la ribera oriental del Mar de Galilea, la gente se dio cuenta. Y caminando por la orilla norte del mar, se anticiparon a la llegada del Señor. La presencia de tanta gente parecía frustrar el propósito didáctico del retiro. ¡Pero es imposible frustrar a Jesús! No pudiendo estar a solas con sus apóstoles, *el Maestro aprovechó la interrupción para convertirla en lección objetiva sobre la evangelización mundial.* ¿Qué aprendemos de este milagro acerca de la evangelización mundial?

I. Que nos rodea un mundo necesitado.

A. La multitud que esperaba la llegada de Jesús tenía múltiples necesidades. Había enfermos que necesitaban ser sanados. Antes de caer la tarde, todos tenían hambre y necesitaban ser alimentados. Pero tenían también otra necesidad aún más apremiante: la de ser perdonados y capacitados para vencer sus pruebas y tentaciones.

B. Lo mismo sucede en la actualidad. Abundan la enfermedad, el hambre, el desempleo, enviciamento por el alcohol y a las drogas, hogares destrozados por la infidelidad conyugal, y múltiples injusticias sociales. Y la situación se agrava cada día porque muchos rechazan el remedio que Dios les ofrece, y muchos más ignoran que la oferta existe.

II. Que Dios tiene un mensaje para este mundo necesitado.

A. Es un mensaje de amor. Cuando Jesús vio la multitud, "tuvo compasión de ellos, porque eran como ovejas que no tenían pastor" (Mar. 6:34). Esa fue sólo una de muchas ocasiones en que la compasión de Jesús manifestaba el amor de Dios para este mundo necesitado. La suprema manifestación de su amor fue dada en la cruz (Rom. 5:8).

B. Es un mensaje de poder. El amor humano a menudo carece de poder.* Pero el amor de Dios es la ternura de su omnipotencia. Así fue que Jesús no sólo tuvo compasión de la multitud necesitada. También "sanó a los que de ellos estaban enfermos", y dio de comer a los hambrientos (Mat. 14:14, 19, 20). Esa fue sólo una de muchas ocasiones en que los milagros de Jesús manifestaron que Dios tiene suficiente poder para satisfacer toda necesidad humana. La suprema manifestación de su poder fue dada en la resurrección de Jesús (Ef. 1:19, 20).

III. Que Dios hace llegar su mensaje al mundo necesitado mediante discípulos obedientes.

A. Los apóstoles no fueron discípulos perfectos. Años después el apóstol Juan había de decir: "Esta es la victoria que ha vencido al mundo: nuestra fe" (1 Jn. 5:4). Pero al escribir su Evangelio recordaba la incredulidad que les embargaba frente a los "cinco panes de cebada y dos pescaditos" que un muchacho les había entregado (Juan 6:8, 9).

B. Pero a pesar de sus imperfecciones, los apóstoles fueron obedientes, y lo manifestaron de cinco maneras:
   1. Aceptaron responsabilidad por la situación (Mat. 14:16). [De la misma manera, nosotros tenemos que aceptar responsabilidad por la evangelización del mundo.]
   2. Tomaron inventario de los recursos disponibles (Mar. 6:38). [Dios quiere que estemos convencidos de nuestra propia insuficiencia. Sólo así sabremos depender totalmente de él.]
   3. Entregaron todo lo que tenían al Señor (Mat. 14:18). [La escasez de nuestros recursos no estorba la evangelización del mundo. Lo que estorba es que no los entregamos al Señor.]
   4. Por fe se prepararon para recibir la bendición de Dios (Mar. 6:39, 40). No tenían a la vista más que "cinco panes de cebada y dos pescaditos". Pero cada paso sucesivo de obediencia aumentaba más su fe. [Así será con nosotros también.]
   5. Cuando el Maestro empezó a multiplicar el pan y los peces, los apóstoles persistieron en el reparto hasta que todos hubieron comido. [Así hemos de persistir nosotros hasta que el evangelio haya sido predicado "en todo el mundo, para testimonio a todas las razas" (Mat. 24:14). Todavía, en vísperas del año 2000 d. de J.C., el Evangelio nunca ha sido predicado a la cuarta parte de los habitantes del mundo. Y en los lugares donde Cristo ha sido predicado, la vasta mayoría todavía no ha creído en él.]

Cada creyente es responsable por la evangelización del mundo entero. Para empezar, debemos compartir el mensaje del amor y del poder de Dios en el lugar en que ahora estamos. Pero debemos orar por el resto del mundo, y debemos ofrendar liberalmente para su evangelización. ¿Lo estamos haciendo?

Ilustración

* En 1882 Guillermo M. Flournoy y su esposa iniciaron una labor misionera en el pequeño poblado de Progreso, Coahuila, México. El hermano

Flournoy recorría a caballo las rancherías cercanas, predicando, vendiendo Biblias y repartiendo tratados. Su esposa abrió en su casa una escuela de párvulos para los niños cuyos padres les permitían asistir. No había atención médica en Progreso, y durante el primer invierno de su estancia allí, su único hijo, un varoncito de un año de edad, se enfermó de la difteria, y murió. Después, la hermana de Flournoy escribió una carta que aún se conserva en los archivos de la Junta Misionera que les sostenía. En dicha carta dijo: "Todo lo que pudimos hacer era contemplarlo mientras se nos iba." Había mucho amor en aquel hogar, todo el amor que un matrimonio puede tener para su única criatura, pero no había poder. No es así con el amor de Dios.

EL EVANGELIO ORIGINAL
Marcos 1:1-8

¿Han visto ustedes alguna vez un arroyo que llevaba agua turbia y contaminada? ¿Y han seguido el curso de ese arroyo hacia arriba para encontrar que tuvo su nacimiento en un limpio manantial? Entonces podrán comprender lo que propongo que hagamos en esta ocasión. En la corriente religiosa de nuestro tiempo van revueltos el error con la verdad y mezclados el veneno de la invención humana con la medicina de la revelación divina. Para poder distinguir entre la verdad y el error necesitamos ir a la fuente de la cual brotó el evangelio en la pureza de su estado original. Marcos 1:1-8 es un pasaje que nos permite hacer precisamente esto.

El pasaje que acabamos de leer nos habla del "principio del evangelio de Jesucristo, el Hijo de Dios". En otras palabras, *nos habla del evangelio tal y como era en la pureza de su estado original.* ¿Cuáles, pues, son las características esenciales de este evangelio original?

I. Se basa en la Palabra escrita de Dios (Mar. 1:2, 3).

A. Tanto Cristo como sus apóstoles tuvieron que luchar contra los errores de la tradición (Mar. 7:5-13; Gál. 1:11-17; Col. 2:8; Tito 1:9-14).
B. Para contrarrestar tales errores, hacían hincapié en el valor supremo del testimonio de la Palabra escrita de Dios (Luc. 24:27, 44, 45; Mat. 22:29; Juan 5:39; 20:30, 31; 2 Ped. 3:1, 2; 1 Cor. 15:3, 4; Hech. 17:11).*

II. Encarece la necesidad del arrepentimiento (Mar. 1:4, 5).

A. Observemos la constancia con que el Nuevo Testamento presenta esta demanda (Mar. 6:12; Luc. 13:3-5; 24:27; Hech. 2:38; 3:19; 17:30; 20:20, 21).
B. Comprendamos el significado de esta demanda.

1. Arrepentirse *no* significa "hacer penitencia" porque la penitencia no es más que un castigo externo impuesta por una autoridad humana.**
2. Arrepentirse *sí* significa hacer un cambio interno inspirado por el Espíritu de Dios:
   a. Un cambio de *opinión* respecto al pecado (Job 42:5, 6);
   b. Un cambio de *sentimiento* respecto al pecado (2 Cor. 7:10);
   c. Un cambio de *voluntad* respecto al pecado (Mat. 21:28, 29).

III. Señala a Cristo como quien libra del poder del pecado (Mar.1:7, 8).

A. El corazón arrepentido necesita ser liberado del poder del pecado (Rom. 7:24, 25; Mat. 12:43-45).
B. Mediante el bautismo en el Espíritu Santo, Cristo efectúa en nosotros esta liberación. Juan 1:29, 33 habla de dos cosas que hace Jesucristo para que cada persona se entregue a él: (1) quita nuestros pecados (v. 29), y (2) nos bautiza con (o en) el Espíritu Santo (v. 33). Es decir, nos quita la culpa de nuestros pecados y nos sumerge en su Espíritu, haciéndonos capaces de llevar vidas victoriosas.
C. Cristo es el único que tiene este poder (Mat. 11:28; Juan 7:37, 38; Hech. 4:12).

¡He aquí el evangelio original! Basado en la Palabra escrita de Dios, demanda sin acepción de personas un arrepentimiento de corazón, y señala a Cristo como el único Salvador de la esclavitud del pecado. Este es el evangelio que Cristo selló con su preciosa sangre. Este es el evangelio que los apóstoles proclamaron sin escatimar fuerzas ni medir peligros. Y este es el mismo evangelio que les proclamamos hoy. Oigan sus demandas y acepten sus promesas. Vengan, vengan ahora a Jesús. Descarguen en él sus pecados y pesares, y en el acto recibirán perdón y vida nueva.

Ilustraciones

*En las reuniones sociales que celebraban los jóvenes de mi iglesia, a veces se ponía un juego que llamábamos "el chisme". Todos los presentes se formaban en fila. Entonces el director del juego, cuchicheaba alguna sencilla frase al oído de la primera persona en la fila. Esa persona, entonces, también cuchicheaba lo que había entendido al oído de la persona a su lado. Cuando llegaba el recado a la última persona en la fila, se pedía a la primera persona que dijera en voz fuerte qué era lo que había oído al comenzar el juego. Luego se pedía que la última persona en la fila dijera lo que había escuchado al final. Siempre había tanta discrepancia que nos reíamos bastante.

Para un juego, esto está bien. Pero no sirve para la comunicación de asuntos serios. No queremos, por ejemplo, que nuestro médico actúe así con sus recetas. Queremos que las escriba en papel para que el farmacéutico sepa con exactitud qué medicamento nos debe entregar. Con el mismo cuidado ha procedido Dios en la comunicación del Evangelio. ¡Hizo que se escribiera!

**Imaginémonos el caso de un ladrón de motocicletas. Un buen día su conciencia le remuerde y decide ir a confesión. "Me acuso, Padre, de ser ladrón de motocicletas." Y su confesor le impone como penitencia que camine descalzo a cierto templo que está a cinco kilómetros de distancia. De inmediato empieza a caminar: un kilómetro, dos kilómetros, y tres. Pero ya se le han ampollado los pies y le parece imposible continuar. Se sienta para descansar. Y de repente ve cerca una flamante motocicleta desatendida. Tras la mirada le nace un deseo, y del deseo surge la tentación. Con una ojeada del panorama se asegura de que el dueño de la motocicleta no aparece, y en un abrir y cerrar de ojos logra encender el motor, se monta y se va. ¡La penitencia le hizo sufrir, pero no cambió su corazón!

UN MODELO PARA EL EVANGELISMO PERSONAL
Marcos 2:1-12

La psicología moderna ha descubierto que los humanos adquirimos nuestros conocimientos a través de nuestros cinco sentidos en las siguientes proporciones aproximadas: por medio del oído, un 10%; mediante el tacto, un 2%; por el olfato y el sabor, 1 1/2% respectivamente; y a través de la vista, un 85%. Esto indica que la mejor manera de enseñar es por medio de modelos visuales.

Una de las cosas que Cristo quiere que todos sus discípulos aprendamos a hacer es conducir personalmente a nuestros parientes, amigos y conocidos a él, para que les perdone sus pecados y les dé la vida eterna. Para enseñarnos cómo hacerlo, nos ha concedido un hermoso modelo.

Encontramos este modelo para el evangelismo personal en Marcos 2:1-12. ¿De qué maneras son los cuatro amigos del paralítico de esta historia un modelo para el evangelismo personal?

I. Son un modelo en cuanto a sus conocimientos.

A. Conocían la condición desesperada de su amigo. Sabían que padecía una enfermedad que la ciencia de su día no podía remediar, y ese conocimiento les conmovía. De análoga manera necesitamos nosotros conocer la condición espiritual de las personas que nos rodean: (1) que son pecadores (Rom. 3:23); (2) que están prendidos en los lazos del mundo, de la carne y del diablo (Ef. 2:2, 3a); y (3) que les espera la descarga del justo juicio de Dios (Ef. 2:3b). Y este conocimiento debe conmovernos.

B. Conocían también el amor y el poder que Jesús había manifestado a otros enfermos, y abrigaban la esperanza de que manifestaría el mismo amor y poder en el caso de su amigo. También nosotros tenemos conocimiento del amor y del poder de Jesús para perdonarnos y salvarnos de la condenación eterna. Y este conocimiento debe conmovernos e impulsarnos a actuar en bien de otros.

II. Son un modelo en cuanto a su actividad.

A. Desempeñaron una actividad cooperativa. Ninguno de ellos, por sí sólo, hubiera podido llevar al paralítico hasta Jesús, pero el esfuerzo unido de los cuatro lo logró. De análoga manera tenemos nosotros que ayudarnos los unos a los otros en la ganancia de las almas para Cristo. Debemos unirnos en oración por los inconversos y coordinar nuestros esfuerzos para que (uno tras otro) testifiquemos con hechos y con palabras a la persona que deseamos ver rendida al Señor.

B. Desempeñaron también una actividad persistente. No se dejaron desanimar por las dificultades que se les presentaron. Cuando encontraron una aglomeración de personas en la puerta, se subieron al techo y lo desmantelaron. Así también debemos persistir nosotros.*

III. Son un modelo en cuanto a su galardón.

A. Parte de su galardón fue que tuvieron el gozo de ver la transformación de su amigo. El que antes no podía moverse, ahora podía caminar. El que antes tenía que depender de la caridad ajena, ahora podía trabajar para ganar su propio pan. Así puede ser con nosotros también. Podremos gozarnos en la evidencia del poder transformador de Dios en la vida de cuantos tengamos el privilegio de ayudar a entregarse al Señor.

B. Otra parte de su galardón fue que tuvieron el privilegio de contribuir a la gloria de Dios. Cuando el paralítico se levantó y empezó a caminar, "todos se asombraron, y glorificaron a Dios, diciendo: ¡Jamás hemos visto cosa semejante!" (Mar. 2:12). Cuando ganamos una alma para Cristo, el cambio que Dios obra en su vida pone de manifiesto la gloriosa ternura de su amor y la incomparable grandeza de su divino poder. De esta manera se despierta en otras personas el deseo de experimentar una transformación parecida. "En esto es glorificado mi Padre," dijo Jesús, "en que llevéis mucho fruto, y seáis así mis discípulos" (Juan 15:8, RVR, 1960).

Hagamos nuestro el modelo de evangelismo personal que nos han legado los cuatro amigos del paralítico. Formemos pequeños grupos (de a dos hasta cuatro personas) para orar juntos por algún inconverso y para empezar a visitarle, uno por uno. Busquemos maneras de servirle en sus necesidades e invitémosle a asistir a los cultos de nuestra iglesia. Compartámosle nuestra propia experiencia de salvación, y ayudémosle a entender el significado del arrepentimiento y de la fe. Y finalmente, persistamos en nuestro servicio y testimonio hasta que se rinda a los pies del Salvador.

Ilustración

* Poco después de iniciar mi estudios de seminario, conocí al pastor Gilberto Rodríguez. Su carácter amigable me inspiró confianza, y un día le pedí que me contara su experiencia de conversión. Con gozo accedió a mi petición.

Me dijo que había sido criado como católico, pero ya grande, obtuvo trabajo en un campo petrolero donde uno de sus compañeros era evangélico. Aquel hermano se hizo su amigo y empezó a invitarle a los cultos de su iglesia. "¡Sí, cómo no!", respondía, "Allí nos veremos." Pero no iba. Así siguió la cosa por varios meses. Pero finalmente llegó el día en que asistió. Y por gracia de Dios sucedió que cuando oyó por primera vez en su vida una clara explicación del Evangelio, se arrepintió de sus pecados y aceptó a Cristo como su Señor y Salvador.

Durante la siguiente semana el señor Rodríguez se puso a pensar en la larga insistencia de su amigo. Recordó que le había invitado un total de diecinueve veces. Así fue que en su primera oportunidad le preguntó: "¿Por qué me hiciste hasta diecinueve invitaciones para visitar tu iglesia?" A lo cual su amigo contestó: "Simplemente porque con haberte invitado dieciocho veces, todavía no habías ido."

UNA INSTANTANEA DE JESUS
Marcos 3:1-6

El Evangelio de Marcos es notablemente un evangelio de acción. Con apenas ocho versículos de introducción, el autor entra de lleno en la narración del ministerio público de Jesús. Al hacerlo, pasa rápidamente de un incidente a otro sin detenerse para hacer comentarios. Habla gráficamente en tiempo presente. Tenía una predilección especial para expresiones como "en seguida", "de inmediato", "al instante", "luego", "inmediatamente", "pronto", "de pronto" y "de repente" para dar la idea de cambios rápidos de escenario o de acción.

Por otra parte, este evangelio abunda en detalles pequeños que indican que consigna el testimonio de alguien que vio y oyó personalmente lo que cuenta. Bien podríamos comparar al evangelista Marcos con un fotógrafo-reportero que con su cámara va captando instantáneas para documentar los reportajes que entrega a su periódico.

Una de estas instantáneas constituye nuestro texto en esta ocasión.

Leer este pasaje es ver un cuadro en que hallamos dibujadas varias de las virtudes que caracterizan al Señor Jesús, virtudes que le hacen la persona más atractiva y digna de confianza de cuantas han pasado jamás por el escenario humano. ¿Qué, pues, es lo que vemos al contemplar esta instantánea de Jesús?

I. Vemos el concepto que tiene de la dignidad humana.

A. En el pasaje paralelo (Mat. 12:9-14) Jesús afirmó el hecho de que el hombre es superior a los animales. Véanse también Mat. 6:26 y 10:31.

B. Pero nuestro texto destaca algo aún más llamativo, a saber: que Jesús afirma la superioridad del hombre sobre las instituciones religiosas —en este caso, sobre la observación tradicional del sábado.

C. Con esto concuerda su insistencia en que el hombre vale más que "el mundo entero" (Mat. 16:26).

II. Vemos también el conocimiento que tiene del corazón humano.

A. Marcos 3:2 dice que "estaban al acecho a ver si le sanaría en sábado, a fin de acusarle". Pero Lucas, en su pasaje paralelo (6:8a), afirma que el Señor conocía "los razonamientos de ellos".

B. Según Hebreos 4:13 (RVA), "Todas las cosas están desnudas y abiertas a los ojos de aquel a quien tenemos que dar cuenta." Quiere decir que todo lo que hacemos, todo lo que decimos, todo lo que pensamos y todo lo que somos es conocido por Jesús. Por esto el apóstol Pablo habló del día del juicio final como "el día en que, conforme a mi evangelio, Dios juzgue los secretos de los hombres por medio de Cristo Jesús" (Rom. 2:16).

C. ¿Estamos preparados para enfrentarnos con Cristo en su categoría de Juez?

III. Vemos su actitud tanto hacia los pecadores como hacia su pecado.

A. Marcos 3:5 dice que Jesús miraba a la gente que le rodeaba "con enojo, dolorido por la dureza de sus corazones". Su enojo fue hacia el pecado porque éste había cegado "el entendimiento de los incrédulos, para que no les" iluminara "el resplandor del evangelio de la gloria de Cristo" (2 Cor. 4:4). Y porque amaba entrañablemente a los que así habían sido cegados, su corazón estaba profundamente "dolorido".

B. Esto nos ayuda a entender pasajes como Salmo 9:17 y 11:6. Dios ama al pecador, pero odia el pecado. Lo odia porque le separa del supremo objeto de su amor. Por esto su ira descansa sobre los que se nieguen a arrepentirse de su pecado para refugiarse por fe en los amorosos brazos de Dios.

IV. Vemos el poder de Jesús para remediar la necesidad humana.

A. Evidencia de este poder fue su acto de sanar al hombre de la mano seca, (Mar. 3:5b). (Luc. 1:37; Ef. 3:20).

B. Esto significa:
 1. Que puede perdonar todos nuestros pecados (Isa. 1:18);
 2. Que puede librarnos de toda tentación (1 Cor. 10:13);
 3. Que puede guiarnos en toda decisión (Prov. 3:5, 6; Stg. 1:5).
 4. Que puede guardarnos de todo mal (Heb.7:25); y
 5. Que puede llevarnos consigo al cielo (Juan 14:1-3).

¡Qué maravilloso cuadro de nuestro Salvador! Pero no es maravilloso por la habilidad del que lo dibujó. Muy sencillas son las pinceladas que nos lo han trazado. Su encanto consiste en los atractivos de la PERSONA a quien describe: JESUS, obrador de milagros, siervo sufriente de Jehovah, amigo de pecadores, salvador del mundo. El cuadro es maravilloso porque trata de una PERSONA MARAVILLOSA.

Y esta Persona es UNICA. No hay otro como Jesús. Sólo él ha concedido a la naturaleza humana una suprema dignidad. Sólo él puede leer los pensamientos de nuestro corazón. Sólo él se compadece de nuestra frágil condición de pecadores condenados. Y sólo él tiene poder para remediar nuestra necesidad. "En ningún otro hay salvación" (Hech. 4:12).

Le ruego que en este mismo momento le confiese a él su pecado y que ponga toda su confianza en lo que él ha hecho por su salvación al morir por sus pecados y resucitar para su justificación. ¡Y hágalo ahora, porque sólo de este momento dispone!

¿QUIEN ES JESUS?

Marcos 4:35-46

La pregunta no es ociosa. Jesús mismo animaba a sus discípulos a considerarla. "Quién dice la gente que soy yo?", les preguntó. Y después de oír su respuesta, dijo: "Pero vosotros, ¿quién decís que soy yo?" (Mar. 8:27, 28). En el Evangelio de Lucas (9:7-9) leemos cómo Herodes el tetrarca quedó perplejo cuando la gente le hablaba de las cosas que hacía Jesús, y dijo: "Quién, pues, es éste de quien escucho tales cosas?" Y meses después, cuando entraba Jesús en Jerusalén, aclamado por las alegres "Hosannas" de la multitud, leemos que "toda la ciudad se conmovió, diciendo: ¿Quién es éste?" (Mat. 21:10).

Pero la ocasión más instructiva que hizo surgir esta pregunta es la que se narra en Marcos 4:35-46. *Esta narración demuestra dos verdades acerca de la persona de Jesús, las cuales nos obligan a inferir una tercera que es de igual importancia.* ¿Cuáles son estas tres verdades?

I. La primera verdad aquí demostrada es que Jesús es hombre.

A. La evidencia de nuestro texto: "Y él estaba en la popa, durmiendo sobre el cabezal" (v. 38a). Estaba rendido de cansancio por el largo día de enseñanza que había precedido a la travesía del lago (Mar. 4:1-35).

B. La evidencia de otros pasajes: (1) nació de una mujer (Luc. 2:6, 7); (2) creció normalmente en el pueblo de Nazaret (Luc. 2:52); (3) desempeñaba el oficio de carpintero (Mar. 6:3); (4) padecía sed (Juan 4:7); (5) se indignaba (Mar. 3:5); (6) lloraba (Juan 11:35; Luc. 19:41); (7) amaba a los niñitos (Mar. 10:13-16); y (8) más de 80 veces se designaba a sí mismo como "el Hijo del Hombre" con lo cual afirmaba dos cosas: que era auténticamente humano y que era el hombre ideal.

C. Esto significa que Jesús nos comprende y que simpatiza con nosotros en toda nuestra necesidad humana. [Aquí está la clave para refutar el error de la Iglesia Católica Romana en cuanto a la necesidad de recurrir a la abogacía de María. Suena lógico decir que su corazón de madre le hace capaz de entendernos. Pero esta "lógica" denigra el carácter de Jesús y echa en saco roto la realidad de su naturaleza y simpatía humanas.]

II. La segunda verdad aquí demostrada es que Jesús es Dios.

A. La evidencia de nuestro texto: "Y despertándose, reprendió al viento y dijo al mar: ¡Calla! ¡Enmudece! Y el viento cesó y se hizo grande bonanza" (Mar. 4:39).

B. La evidencia de otros pasajes: (1) fue alabado por las huestes angelicales en su nacimiento (Luc. 2:14); (2) fue buscado y adorado por los magos del lejano oriente (Mat. 2:1, 2); (3) fue proclamado su Hijo por Dios mismo al ser bautizado (Mat. 3:17); (4) fue reconocido como Hijo de Dios por los demonios (Mar. 3:11); (5) sus milagros testificaban que era Dios (Juan 37, 38); (6) él mismo reclamaba ser Dios (Juan 10:30-36; 8:58); y (7) "fue declarado Hijo de Dios con poder, según el Espíritu de santidad, por la resurrección de entre los muertos" (Rom. 1:4).

C. Esto significa que Jesús tiene poder para remediar toda nuestra necesidad.

III. De la demostración tanto de la humanidad como de la deidad de Jesús se infiere obligatoriamente una tercera verdad, a saber: que él es el único mediador entre Dios y los hombres.

A. A través de los siglos el hombre ha sentido la necesidad de un mediador (Job 9:32,33; 1 Sam. 2:25).

B. Tal mediador necesita reunir en su persona dos cualidades: (1) necesita tener derecho propio de estar en la presencia de Dios (Heb. 7:26, 27); y (2) necesita tener completa simpatía con el hombre (Heb. 4:14-16).

C. Estas dos cualidades se reunen únicamente en Jesús (1 Tim. 2:5). Por tanto, él es nuestro "sumo sacerdote" (Heb. 3:1; 5:8-10). [RV traduce este término "pontífice", que significa "persona que hace puente".] Como tal, intercede continuamente por los suyos en presencia de nuestro Padre Celestial (Rom. 8:34; Heb. 7:25).

Siendo, pues, el Señor Jesús el único mediador entre Dios y los hombres, le rogamos que en este momento haga suyas las palabras del himnólogo y que desde el fondo de su corazón le diga:

De mi tristeza y esclavitud, vengo, Jesús, vengo, Jesús.
A tu alegría y tu virtud, vengo, Jesús, a ti.
De mi pobreza y enfermedad, a tu salud y rica bondad;
a tu presencia, de mi maldad, vengo, Jesús, a ti."

De mi flaqueza y falta de luz, vengo, Jesús, vengo, Jesús.
Al eminente bien de tu cruz, vengo, Jesús, a ti.
Del sufrimiento que es terrenal, a ti, mi médico celestial;
para ser libre de todo mal, vengo, Jesús a ti.

De mi soberbia y ansiedad, vengo, Jesús, vengo, Jesús.
Para morar en tu voluntad, vengo, Jesús, a ti.
De mi tristeza a tu gran amor, a lo del cielo consolador;
para por siempre darte loor, vengo, Jesús, a ti.

De ese terror que la tumba da, vengo, Jesús, vengo Jesús.
A la brillante luz de tu hogar, vengo, Jesús, a ti.
De la indecible profundidad, a tu redil de tranquilidad;
a ver tu faz por la eternidad, vengo, Jesús, a ti.[1]

---

[1]William T. Sleeper, "Vengo, Jesús a ti", Núm. 187 *Himnario Bautista* (El Paso: Casa Bautista de Publicaciones, 1978).

UNA DOBLE REVELACION
Marcos 5

Por regla general es aconsejable que el texto de un sermón sea breve. Pero de vez en cuando encontramos un pasaje extenso que merece ser considerado en su totalidad. Tal pasaje es el capítulo cinco del Evangelio de Marcos. Quisiera que todos ustedes participen en la lectura de este capítulo. Lo haremos de la siguiente manera. Los varones mayores de veinte años leerán juntos los versículos 1 al 20. Cuando ellos terminen, las damas mayores de veinte años leerán al unísono los versículos 21 al 33. Y finalmente, todos los que tengan menos de veinte años leerán juntos los versículos 32 al 43.[1] ¿Listos? ¡Leamos, pues! [Léase de la manera indicada].

Este hermoso capítulo contiene una doble revelación. ¿Cuál es?

I. Revela lo que Cristo puede hacer por nosotros.

A. El caso de la hija de Jairo revela que Cristo nos puede resucitar.
   1. La burla de la gente (v. 40) comprobaba el hecho de la muerte corporal de la niña. Pero de esa muerte Cristo la resucitó (v. 42).
   2. La Palabra de Dios afirma el hecho de la muerte espiritual de todos nosotros (Rom. 5:12; 6:23a; Ef. 2:1). Pero de esta muerte Cristo nos puede resucitar (Juan 11:25). La prueba está en su propia resurrección y exaltación a la diestra del Padre donde ejerce poder sobre el universo entero (Ef. 19-21).

B. El caso de la mujer que padecía flujo de sangre revela que Cristo nos puede purificar.
   1. Le purificó a ella de impurezas ceremoniales (Lev. 15:25-31).
   2. Pero ofrece purificarnos a nosotros de impurezas morales y espirituales (1 Cor. 6:9-11; 1 Jn. 1:7).

C. El caso del endemoniado de Gadara revela que Cristo nos puede librar.
   1. Al pobre endemoniado le libró del dominio de Satanás (vv. 1-9, 15).
   2. Y ofrece librarnos a nosotros: (1) "de la presente época malvada" (Gál. 1:4); "de la ley del pecado y de la muerte" (Rom. 8:2); "de la autoridad de las tinieblas" (Col. 1:13); "del temor de la muerte" (Heb. 2:15) y "de tentación" (2 Ped. 2:9, RVR, 1960).

II. Revela lo que Cristo quiere que nosotros hagamos por él.

A. El caso de la mujer que padecía flujo de sangre revela que quiere que hagamos pública profesión de nuestra fe en él.
   1. Cristo sabía que ella había sido sanada al tocar el borde de sus vestiduras (v. 30). No preguntaba en busca de información, sino de una confesión pública.
   2. De la misma manera, el Señor ahora desea que todos los que creemos en él le confesemos públicamente (Luc. 12:8, 9; Rom. 10:8-10).

B. El caso del endemoniado de Gadara revela que Cristo quiere que testifiquemos a otros de lo que Dios ha hecho en nuestras vidas.
   1. Eso fue lo que pidió al "que había estado endemoniado" (vv. 18-20).
   2. Y esto pide de nosotros también (Hech. 1:8; 18:9; 2 Tim. 1:8).

C. El caso de la hija de Jairo revela que Cristo quiere que "demos de comer" a los que él ha resucitado.
   1. Urgía que la niña recién resucitada fuese fortalecida con una alimentación apropiada (v. 43b).

2. Urge también que la vida espiritual de todo nuevo creyente sea fortalecida con el debido alimento espiritual (Mat. 24:45, 46; 1 Cor. 3:1, 2; Heb. 5:13, 14).

Hemos visto que el capítulo cinco del Evangelio de Marcos revela que para toda persona en el mundo el Señor Jesucristo ofrece hacer tres cosas: (1) resucitarle de la muerte espiritual; (2) purificarle de toda impureza moral; y (3) librarle de todo dominio del mal (o del Malo). ¿Le ha permitido usted que haga estas tres cosas en la vida suya? Si no, ¡decídase ahora mismo! Reconozca su impotencia para librarse a sí mismo de la condición en que está. Confiese a Dios sus pecados, y confíe en Cristo como su único Señor y Salvador. De esta manera recibirá las tres tremendas bendiciones de que hemos estado hablando.

Y cuando haya recibido estas bendiciones, el Señor quiere que confiese públicamente su decisión. Al hacerlo, los hermanos de esta iglesia empezarán a "alimentarle", o sea instruirle en la manera de crecer en su nueva vida y de compartir su testimonio a su familia y demás conocidos.

Escucha, amigo, al Señor, pues él te da perdón;
te invita hoy tu Redentor, en él hay salvación.
Por redimirte el Salvador su sangre derramó;
y en la cruz con cruel dolor, tu redención obró.
Camino cierto es Jesús, ven y feliz serás,
irás a la mansión de luz, descanso hallarás.

Ven con el santo pueblo fiel, dejando todo mal;
así la paz de Dios tendrás, y gloria inmortal.[2]

---

[1]Para que este tipo de lectura congregacional tenga éxito, es aconsejable que se pida anticipadamente la cooperación de dos o tres personas de cada uno de los tres grupos indicados. Dichas personas servirán de líderes de sus respectivos grupos. Les indicarán cuando deben empezar su parte de la lectura, y marcarán el paso para que la lectura de su grupo sea uniforme.

[2]John H. Stockton, "Escucha, amigo, al Señor", *Himnario Bautista* (El Paso: Casa Bautista de Publicaciones, 1978), No. 204.

TRES ERRORES FATALES
Marcos 10:17-22

Hoy les invito a pensar conmigo en la entrevista que tuvo un joven rico con Jesús. El relato se encuentra en Marcos 10:17-22. Favor de buscar el pasaje en sus propias Biblias o Nuevos Testamentos para leerlo en silencio mientras yo lo lea en voz alta.

Es notable como el comienzo de aquella entrevista contrasta con su fin. El joven llegó corriendo para hincarse ante el Señor en clara actitud de entusiasta, pero a la vez reverente expectación. Pero se fue "abatido y triste". ¿A qué se debió aquel brusco cambio? Un examen cuidadoso del pasaje revela que se debió a tres fatales errores que aquel joven abrigaba en su mente y corazón —errores que siguen siendo fatales para cuantos los compartan. ¿En qué consisten estos tres fatales errores?

I. En no reconocer la deidad de Jesús.

A. El joven de nuestro pasaje llamó a Jesús "Maestro bueno". A lo cual el Señor contestó: "¿Por qué me llamas bueno? Ninguno es bueno, sino sólo uno, Dios" (v. 18). Así afirmaba Jesús el hecho de su deidad y reclamaba que aquel joven reconociera que él no era simplemente un buen maestro, sino Dios mismo manifestado en carne.

B. Esto es lo que significan los varios "Yo soy" de Jesús en el Evangelio de Juan. Por ejemplo, en 8:58 Jesús dijo, "De cierto, de cierto os digo, que antes que Abraham existiera, Yo Soy." Los judíos comprendieron que estaba afirmando ser el "Yo Soy" de Exodo 3:14, y "tomaron piedras para arrojárselas" (Juan 8:59). Jesús sí es Dios manifestado en carne, y en Juan 8:23, 24 declaró categóricamente que nuestra eterna salvación depende de creer en él como tal: "Vosotros sois de abajo; yo soy de arriba. Vosotros sois de este mundo; yo no soy de este mundo. Por esto os dije que moriréis en vuestros pecados; porque a menos que creáis que yo soy, en vuestros pecados moriréis."

II. En negar nuestra propia pecaminosidad.

A. El joven de nuestra historia declaró que no había cometido los pecados de homicidio, adulterio, robo, mentira, fraude o desprecio de sus padres (vv. 19, 20). Evidentemente decía la verdad, porque en seguida leemos que "al mirarlo Jesús, le amó y le dijo: 'Una cosa te falta: Anda, vende todo lo que tienes y dalo a los pobres; y tendrás tesoro en el cielo. Y ven; sígueme.' Pero él, abatido por esta palabra, se fue triste, porque tenía muchas posesiones". Se creía justo, pero Cristo sabía que estaba cometiendo el pecado que es "raíz de todos los males" (1 Tim. 6:10). Era culpable de ser amante del dinero.

B. Muchos siguen cometiendo este segundo error fatal en la falsa creencia de que "no le hago mal a nadie". Necesitamos que el Espíritu nos convenza "de pecado, de justicia y de juicio" (Juan 16:8-11) y que nos capacite para vernos como Dios nos ve (Job 42:5, 6; Isaías 6:5 y Luc. 5:8). Sólo entonces comprenderemos cuán lejos estamos de la perfecta justicia que Dios demanda y que sólo Cristo ha vivido. Sólo entonces reconoceremos que merecemos el mismo juicio que cayó sobre Cristo en la cruz. Y sólo entonces, como Isaías, nos postraremos ante Dios para decir: "¡Ay de mí, pues soy muerto! Porque siendo un hombre de labios impuros y habitando en medio de un pueblo de labios impuros, mis ojos han visto al Rey, a Jehovah de los Ejércitos" (Isa. 6:5).

III. En creer que podemos salvarnos a nosotros mismos.

A. La pregunta: "¿Qué haré para obtener la vida eterna?" (v. 17b) revela que el joven de nuestra historia abrigaba este tercer error fatal.
B. Muchas personas siguen incurriendo en el error de creer que "cada quien con sus obras se salva". Pero todo aquel que así crea necesita escuchar esta advertencia divina: "¡Espantaos, oh cielos, y horrorizaos por esto! Temblad en gran manera, dice Jehovah. Porque dos males ha hecho mi pueblo: Me han abandonado a mí, que soy fuente de aguas vivas, y han cavado para sí cisternas, cisternas rotas que no retienen el agua" (Jer. 2:12, 13).
C. La salvación no es por obras nuestras sino por fe en la obra perfecta y completa de Cristo Jesús (Juan 14:6; Ef. 2:8, 9; Tito 3:4-7).

Aún recuerdo la zozobra que se produjo en el pequeño pueblo donde viví mi niñez cuando se supo de la muerte de una de nuestras más respetadas vecinas. Dicha señora padecía jaquecas crónicas, y el médico le había recetado, en forma de cápsulas, un medicamento apropiado para su caso. Al mismo tiempo su esposo tenía infectado un pie, y el médico había recetado para él un fuerte desinfectante, también en forma de cápsulas, que debía vaciar en una bandeja llena de agua caliente para remojar el pie infectado. Ambos medicamentos estaban guardados en el botiquín de su casa.

Cierta noche, cegada por la fuerza de su jaqueca, la señora fue al botiquín para tomarse una de las cápsulas que se le había recetado. Pero cometió el fatal error de tomar de las cápsulas recetadas para su marido. Fue totalmente sincera en lo que hizo. Pero su sinceridad no le salvó.

¡No cometa los errores que cometió el joven de nuestro texto! Comprenda que Jesús es Dios mismo, manifestado en carne. Comprenda que usted es pecador y que no puede salvarte a sí mismo. Y comprenda que si se arrepiente de sus pecados y confía de corazón en Cristo como su único Señor y Salvador, será perdonado, y el Espíritu de Dios entrará en usted para hacerle capaz de llevar una vida nueva de hoy en adelante. Si esta es su decisión, le pedimos que lo manifieste mientras cantamos el himno de invitación.[1]

---

[1]George Frederick Root, "A Jesucristo ven sin tardar" Núm. 196 *Himnario Bautista* (El Paso: Casa Bautista de Publicaciones, 1978).

UN CIEGO NOS ENSEÑA
Marcos 10:46-52

Si usted conoce bien a algún ciego, es probable que le haya enseñado algunas valiosas lecciones. Como mínimo debe haberle enseñado a apreciar mejor el don de la vista. Si ese ciego fue adiestrado en una escuela especial, no dudo que le haya enseñado el gran valor de luchar contra las dificultades de la vida. Y si es uno de aquellos desdichados ciegos que han sido abandonados por la sociedad, espero que le haya enseñado a tener compasión de los que sufren.

Marcos 10:46-52 cuenta la historia instructiva de un ciego llamado Bartimeo. ¿Qué es lo que aquel ciego de antaño nos puede enseñar?

I. La condición de Bartimeo nos enseña cual *es* nuestra condición.

A. Somos ciegos. La ceguera de Bartimeo era física, pero la nuestra es espiritual (2 Cor. 4:3, 4).
B. Estamos expuestos a peligro. Sentado junto a una carretera muy transitada, Bartimeo estaba expuesto al peligro físico de ser atropellado. Nosotros, en cambio, estamos expuestos a un doble peligro espiritual:
   1. Al peligro de malgastar esta vida presente. Pedro describe la vida del hombre natural como "vuestra vana (inútil) manera de vivir" (1 Ped. 1:18).
   2. Al peligro de pasar la eternidad en el infierno (Apoc. 21:8).
C. Somos incapaces, en nosotros mismos, de remediar nuestra condición. Como mendigo, Bartimeo no tenía recursos propios; dependía totalmente de la incierta misericordia de la gente. Tampoco tenemos nosotros los recursos con que obrar nuestra propia salvación (Isa. 64:6). Pero sí tenemos acceso a la segura misericordia del Señor (Tito 3:5, 6).

II. La actuación de Bartimeo nos enseña cual *debe ser* nuestra actuación.

A. Clamó directamente a Jesús, y así debemos hacer nosotros también, porque sólo él nos puede salvar (Juan 14:6; Hech. 4:12).
B. No hizo caso de la crítica de la gente. Tampoco debemos nosotros permitir que opiniones ajenas nos desanimen en nuestra búsqueda de la salvación (Juan 12:42, 43).*
C. Tiró su capa para que no le impidiera responder al llamado de Jesús. De la misma manera debemos nosotros dejar resueltamente todo lo que nos separe del Señor (Hech. 3:19; Luc. 13:1-5).

III. La bendición de Bartimeo nos enseña cual *puede ser* nuestra bendición.

A. Jesús, el Creador del universo (Juan 1:10a; Heb. 1:2), se detuvo para hacerle caso a un andrajoso mendigo. Lo mismo hará por usted (Juan 6:37).
B. Recobró la vista. Su vida fue totalmente transformada. Así podrá ser con usted también; puede ser hecho "una nueva criatura" (2 Cor. 5:17).
C. Recibió un guía para el resto de su vida, pues leemos que tan pronto como recuperó la vista, "seguía a Jesús en el camino". También puede ser suya esta bendición, porque el Salvador ha dicho: "He aquí, yo estoy con vosotros todos los días, hasta el fin del mundo" (Mat. 28:20).

La condición de toda esta bendición es la de tener fe en el Señor Jesús (Mar. 10:52). Esto significa tres cosas: (1) confiar en el amor del Señor para recibirnos (Juan 6:37); (2) confiar en el poder del Señor para salvarnos (Heb. 7:25; Ef. 3:20, 21); y (3) entregarnos sin reserva a la soberanía del Señor para que nos gobierne de hoy en adelante (Mat. 11:28-30).

¿Está usted dispuesto a creer de esta manera en el Señor Jesús? Hágalo, pues, en este instante, porque la Escritura dice: "¡He aquí ahora el tiempo más favorable! ¡He aquí ahora el día de salvación!" (2 Cor. 6:2b).

Ilustración

En 1945 circulaba en México un folleto anónimo titulado "¡Qué gestos hará la* gente!" Narraba una anécdota ficticia acerca de un joven príncipe que había sido tomado preso en una guerra. Su corta edad y simpático carácter le ganaron la buena voluntad del jefe de la prisión, el cual intercedió por su libertad delante del rey vencedor. Impresionado por los ruegos de su oficial, el rey accedió, pero con una condición. "Antes de darle su libertad", dijo, "tiene que desfilar por las calles principales de la ciudad". Cuando el joven príncipe oyó la condición de su liberación, su natural timidez le hizo estremecerse, y dijo angustiado: "¡Ay, qué gestos hará la gente!"

Llegó el día del desfile, y el jefe de la prisión se presentó ante el joven con un tazón lleno de leche en una mano y una filosa espada en la otra. Díjole: "Tienes que llevar este tazón de leche por todo el desfile, y si tiras una sola gota, tengo órdenes de cortarte la cabeza."

Asustado, el joven tomó el tazón y con suma precaución iba caminando de calle en calle hasta llegar por fin frente al palacio. ¡No había tirado una sola gota de la leche! Se levantó de su trono el rey, y le dijo: "Joven, te felicito. Has cumplido la condición. Pero antes de ponerte en libertad, quiero hacerte una pregunta. ¿Qué gestos hacía la gente?" El joven contestó: "Majestad, no me di cuenta de lo que hacía la gente. Sólo pensaba en que llevaba la vida entre mis manos, y que la muerte venía por detrás."

Así pasa con usted, amigo mío. No debe fijarse en lo que otras personas puedan pensar, decir o hacer. Lleva usted su propia vida entre manos, y la muerte viene veloz. ¡Clame a Cristo sin importarle la crítica de la gente!

UN ASPECTO IMPORTANTE DE LA MAYORDOMIA CRISTIANA

Marcos 12:41-44

La palabra "mayordomo" significa "administrador" o "encargado". Se emplea generalmente para designar a personas que administran o cuidan de propiedades o negocios ajenos. Cuando José fue vendido por sus hermanos como esclavo y llevado a Egipto, Potifar, el oficial egipcio que le compró, "le hizo mayordomo de su casa y entregó en su poder todo lo que tenía" (Gén. 39:4, RVR, 1960). José no era dueño de nada, pero como mayordomo, administraba todo lo que pertenecía a su amo.

Es importante reconocer que el concepto de la mayordomía rige en todas las relaciones que existen entre el hombre y Dios. "Mío es el mundo y su plenitud", dice Dios (Sal. 50:12b). Lo es por derecho de creación. Y en su mundo Dios puso al hombre para servirle como mayordomo. Génesis 2:15 dice: "Tomó, pues, Jehová Dios al hombre, y lo puso en el huerto de Edén, para que lo cultivase y lo guardase." Como parte de su mundo, el huerto era propiedad de Dios. Adán lo disfrutaba como administrador o mayordomo. Y mientras actuaba en conformidad con aquel arreglo, todo le iba bien. Tenía libre acceso a "toda clase de árboles atractivos a la vista y buenos para comer" (Gén. 2:9), incluyendo "el árbol de la vida". ¡Nada necesario le faltaba! ¿Y qué del "árbol del conocimiento del bien y del mal"? La orden de no comer de él era para Adán un constante recordatorio de que *el dueño del huerto era Dios.*

Pero un triste día Adán cedió a la tentación de disponer para sí del símbolo de la soberanía divina. Al comer del fruto prohibido, decía en efecto: "¡Aquí mando yo!" *Quiere decir que el primer pecado humano fue el repudio de una relación ante Dios como mayordomo.* Desde entonces la humanidad entera se caracteriza por la misma actitud de rebeldía en contra de la soberanía divina. Y nunca seremos librados de las funestas consecuencias de esta rebeldía si no nos arrepentimos de ella para someternos incondicionalmente a Dios como nuestro Soberano Señor.

Así es que al hablar de "mayordomía cristiana" estamos hablando de la característica esencial de nuestra relación con Dios. La vida cristiana *se inicia* con el reestablecimiento entre nosotros y Dios de esta relación. Recibimos a Cristo, no sólo como Salvador, sino también como Señor. Y sobre esta base la vida cristiana *se desarrolla*, en sumisión diaria al señorío de Jesús en todo cuanto somos, tenemos y hacemos.

Un aspecto importante de nuestra mayordomía cristiana son las ofrendas que damos para la obra de Dios. Marcos 12:41-44 es un pasaje instructivo sobre estas ofrendas. ¿Qué nos enseña este incidente acerca de nuestras ofrendas para la obra de Dios?

I. Que Dios tiene interés en nuestras ofrendas.

A. El Señor Jesús demostró este interés divino al buscar el sitio en el templo donde estaban colocados los receptáculos para las ofrendas. Finalizaba un día de conflicto con los líderes religiosos del pueblo (Mar. 11:27-12:40). La dureza de sus corazones le entristecía. Anhelaba encontrar refrigerio en alguna evidencia de sincera devoción a Dios.

B. Buscaba Jesús tal evidencia de devoción en las ofrendas del pueblo porque sabía que el dinero es parte íntegra de la persona misma. Uno gana dinero a cambio de la entrega de una parte irrecuperable de su vida. Ofrendar a Dios dinero, entonces, equivale a ofrendarle parte de nuestra vida. ¡Y para Dios la vida humana es sagrada!

II. Nos enseña cómo Dios calcula el valor de nuestras ofrendas.

A. Las "dos moneditas de cobre que valían muy poco" (VP) valían más que el "mucho dinero" que ofrendaron los ricos porque era todo lo que tenía aquella viuda para vivir. Era el 100% de sus haberes. En cambio, el "mucho dinero" que ofrendaban los ricos era solamente "lo que les sobraba" (RVR, 1960) después de haber satisfecho sus necesidades y gustos personales.
B. Quiere decir que Dios desea que ofrendemos a él en proporción a nuestras posibilidades. Esta fue la práctica de las iglesias neotestamentarias (Hech. 11:28-30; 1 Cor.16:1-2; 2 Cor. 8:12).
C. Pero, ¿cuál proporción espera Dios de nosotros?
  1. Veamos lo que ofrendaban los que vivieron *antes* de Cristo:
     a. Diezmaban Abraham (Gén. 14:17-20), Jacob (Gén. 28:16-22) y todos los judíos bajo la Ley (Lev. 27:30-32).
     b. Además, bajo la Ley los judíos ofrendaban las primicias (Deut. 26:1-10; Prov. 3:9); hacían ofrendas voluntarias (Exo. 35:29); y redimían a los primogénitos (Exo. 34:20; Núm. 18:15, 16).
  2. Como cristianos, ¿podemos conformarnos con ofrendar a Dios menos del diezmo? (Mal. 3:10).

III. Nos enseña que Dios quiere que ofrendemos a él primero.

A. Los ricos ofrendaron "de lo que les sobraba". Trataron a Dios como mucha gente trata a sus animales domésticos, tirándoles las sobras de la mesa.
B. ¿Cómo trató Elías a la viuda de Sarepta? (1 Rey. 17:13, 14).

C. ¿Qué nos manda Jesús en Mateo 6:31-33?

Pablo Jiménez era un humilde campesino mexicano que andaba en muletas porque tenía amputada una pierna. Vivía de la venta anual del coco de aceite que producía la pequeña parcela de tierra que cultivaba. Cierto año, cuando se le liquidó su venta, como era su costumbre, entregó en seguida el diezmo a su iglesia. Dicho diezmo equivalía a la mitad de lo que le hubiera costado una pierna postiza. Cuando esto se supo, alguien le preguntó si no hubiera sido mejor, en vez de diezmar, invertir ese dinero en la compra de la prótesis que tanta falta le hacía. Pero Pablo contestó: "Yo prefiero andar en muletas antes de ver cojear a mi iglesia." ¿Y nosotros?

EL SECRETO DE LA FELICIDAD

Lucas 1:26-55

¿Existe algo que merezca ser llamado "el secreto de la felicidad"? Si estamos pensando en aquella felicidad artificial e imaginaria de los cuentos de hadas, de una felicidad nunca empañada por la tristeza o el dolor, la respuesta tiene que ser negativa. Pero si estamos hablando de una felicidad que puede ser mantenida en medio de las múltiples dificultades de la vida, el cristiano afirma que sí existe, y que el secreto para alcanzarla nos está revelado en varios pasajes bíblicos. Uno de ellos es Lucas 1:26-55.

En este pasaje María, la madre de nuestro Señor Jesucristo, dijo: "Desde ahora me tendrán por *bienaventurada* (dichosa, feliz) todas las generaciones" (v. 48). Es obvio que la felicidad de María no le eximió de sufrimientos. Al contrario, se le advirtió claramente que "una espada traspasará tu misma alma" (Luc. 2:35). *Pero a pesar de lo que tuvo que sufrir, María experimentó la felicidad que Dios desea para todos.* Atenidos, pues, a su ejemplo, nos preguntamos: ¿En qué consiste el secreto de la felicidad?

I. Consiste en conocer la Palabra de Dios.

A. El cántico de María (124 palabras en RVA) puede leerse pausadamente en voz alta en menos de dos minutos. Pero a pesar de ser tan breve, contiene 13 distintas citas o alusiones al Antiguo Testamento, y cita textualmente de 4 de sus libros (Génesis, 1 Samuel, los Salmos e Isaías). María fue bienaventurada porque había empapado su alma en la Palabra de Dios.

B. Esta bienaventuranza puede ser nuestra también (Luc. 11:27, 28; Sal. 1:1-3). Seamos, pues, diligentes en la lectura, estudio y meditación de la Palabra de Dios (Juan 5:39; Sal. 119:9, 11).

II. Consiste en confiar en el poder de Dios.

A. María fue bienaventurada "porque creyó" (Luc. 1:45). Creyó que se haría en ella lo que no se había hecho nunca antes: una concepción virginal. Creyó en la posibilidad de tan estupendo milagro porque confiaba en el poder de Dios para llevar a cabo sus propósitos.
B. Esta bienaventuranza puede ser nuestra también (Juan 20:29). Confiemos, pues, en el poder de Dios para hacer todo lo que se propone (Juan 11:40).

III. Consiste en entregarse a la voluntad de Dios.

A. La entrega de María (Luc. 1:38) fue costosa. Le expuso a malas sospechas y a calumnias injustas. Nazaret tenía mala fama (Juan 1:46). Tal vez eso influyó en la decisión de José de llevar a María consigo en su viaje a Belén (Luc. 2:4, 5).

B. Esta bienaventuranza puede ser nuestra también. La voluntad de Dios es "buena, agradable y perfecta" (Rom. 12:2), y cuando nos entregamos a cumplirla, cuéstenos lo que nos cueste, siempre somos bienaventurados (Luc. 11:27, 28).

De la experiencia de María aprendemos que el secreto de la felicidad consiste en tres cosas: en conocer la palabra de Dios; en confiar en el poder de Dios; y en entregarse a la voluntad de Dios. Estas tres cosas están al alcance de cada persona aquí presente.

La Biblia testifica que usted ha pecado y que la paga de su pecado es la muerte. Pero Dios le ama y envió a su Santo Hijo para tomar sobre Sí su culpa y sufrir en su lugar la condenación que merece. Por esto murió en la cruz. Lo sepultaron, pero al tercer día resucitó. Después de cuarenta días más, volvió al cielo, y desde allá desea enviarle su Santo Espíritu para darle una vida nueva y eterna. ¡Sépalo! ¡Confíe en que es verdad! ¡Y sométase ahora mismo a él como Soberano Señor de su vida! En el instante que lo haga, empezará su felicidad. Esto es lo que Dios desea para usted. ¿Va a recibirlo o va a rechazarlo?

A Jesucristo ven sin tardar,
que entre nosotros hoy él está,
y te convida con dulce afán,
tierno diciendo: Ven.

Piensa que él solo puede colmar
tu triste pecho de gozo y paz;
y porque anhela tu bienestar,
vuelve a decirte: Ven.

Su voz escucha sin demorar,
y grato acepta lo que hoy te da;

tal vez mañana no habrá lugar,
no te detengas: Ven.

¡Oh, cuán grata nuestra reunión
cuando allá, Señor, en tu mansión,
contigo estemos en comunión
gozando eterno bien![1]

---

[1]Frederick Root, "A Jesucristo ven sin tardar", Núm. 196 *Himnario Bautista* (El Paso: Casa Bautista de Publicaciones, 1978).

LIBERTAD DEL TEMOR
Lucas 2:8-11

El 6 de enero de 1941, el Presidente Franklin D. Roosevelt, presentó ante el Congreso de los Estados Unidos de Norteamérica un discurso, ahora famoso, sobre "Las cuatro libertades". Dijo que los objetivos de las naciones que se hallaban en guerra con Alemania y sus aliados consistían en establecer y asegurar para toda persona en el mundo: (1) libertad para expresarse; (2) libertad para practicar la religión de su preferencia; (3) libertad de la penuria; y (4) libertad del temor. En esta ocasión vamos a pensar en la última de estas famosas "cuatro libertades".

Lucas 2:8-11 dice que la noche que nació el Niño Jesús, "había pastores en aquella región, que velaban y guardaban las vigilias de la noche sobre su rebaño. Y un ángel del Señor se presentó ante ellos, y la gloria del Señor los rodeó de resplandor; *y temieron con gran temor.* Pero el ángel les dijo: *No temáis; porque* he aquí os doy nuevas de gran gozo, que será para todo el pueblo: que *hoy, en la ciudad de David, os ha nacido un Salvador, que es Cristo el Señor*". Este pasaje declara que Cristo libra del temor.

Los médicos afirman que un niño recién nacido tiene solamente dos temores. Teme las caídas repentinas y los ruidos fuertes. Con estos dos temores la vida humana comienza. Pero con el paso del tiempo aprendemos a tener miedo de un mayor número de cosas. Algunas personas sienten miedo al encontrarse en lugares elevados, y otras en espacios reducidos. La soledad espanta a algunos, mientras que otros son atemorizados por la aglomeración de una multitud. ¡Cuántos temores más hay que a los humanos nos afligen! Pero al analizarlos, descubrimos que en el fondo todos nuestros temores se reducen a dos. Algunas personas temen morirse, mientras que otras tienen miedo de seguir viviendo. Pero nuestro texto declara que *Cristo libra del temor.* ¿Qué hizo para darnos esta preciosa libertad?

I. Cristo murió para librarnos del temor de la muerte (Heb. 2:14, 15).

A. Algunas personas temen morirse porque ignoran lo que haya más allá. Para tales personas la muerte es un paso hacia lo desconocido, un brinco en la oscuridad. Y lo desconocido les atemoriza. Pero Cristo ha muerto y resucitado. Nos asegura que él sabe lo que hay más allá, y nos invita a poner nuestra mano en la suya y no temer.* (Salmo 23:4).

B. Otras personas temen morirse porque saben demasiado bien lo que hay más allá. Saben que "está establecido que los hombres mueran una sola vez, y después el juicio" (Heb. 9:27). La certeza de aquel juicio les atemoriza. ¡Pero Cristo murió para librarnos del temor de la muerte! Por esto Pablo preguntó: "¿Dónde está, oh muerte, tu victoria? ¿Dónde está, oh muerte, tu aguijón? Pues el aguijón de la muerte es el pecado ..." (1 Cor. 15:55, 56a). Cuando la conciencia acusa de pecado, la perspectiva de la muerte espanta. Pero como la abeja, cuando pica se muere, porque deja clavada su lanceta en su víctima, así Cristo, al morir por nuestros pecados, arrancó a la muerte su aguijón. En consecuencia, para los que hemos creído en Jesús, la muerte carece de ponzoña. Por esto Pablo pudo decir que para él el morir era "ganancia" (Fil. 1:21).

II. Cristo resucitó y vive para librarnos de los temores de la vida (Rom. 5:10).

A. El Cristo viviente nos libra de los temores de la vida por la seguridad de su presencia (Mat. 28:20b). Se hace presente con nosotros por medio de su Espíritu (Juan 14:16-18). En consecuencia, no importa cuán difíciles sean nuestras circunstancias, su presencia nos infunde confianza y nos abre la puerta para un testimonio eficaz (Hech. 16:25).

B. El Cristo viviente nos libra de los temores de la vida por el poder de su intercesión (Rom. 8:34; Heb. 7:25). Este poder fue demostrado en el caso de Pedro (Luc. 22:32). Por Juan 17:6-26 sabemos que al interceder por nosotros el Señor pide tres bendiciones: protección (vv. 11-15); consagración (vv. 16-19); y la contemplación de su gloria (v. 24). ¿Cómo hemos de amedrentarnos frente a los golpes de la vida cuando sabemos que nuestro amado Salvador vive para pedir para nosotros estas tres incomparables bendiciones?

¡Cuán alentador es saber que Cristo libra del temor! Murió para librarnos del temor de la muerte, y resucitó y vive para librarnos de los temores de la vida. Pero ¿quiénes disfrutan de esta doble libertad? Oigamos de nuevo nuestro texto: "Pero el ángel les dijo: No temáis, porque he aquí os doy buenas nuevas de gran gozo, que será para todo el pueblo: que hoy, en la ciudad de David, os ha nacido un Salvador, que es Cristo el Señor" (Luc. 2:10, 11). Fijémonos bien en que la última palabra del texto es "SEÑOR". La gloriosa libertad que Cristo ofrece se hace realidad solamente en quienes le reciban como Soberano Rey de sus vidas.

La raíz de todo pecado es el egoísmo, la rebeldía en contra de la soberanía de Dios. Queremos ser libres. Pero al independizarnos de Dios, nuestra supuesta libertad resulta ser un vil engaño, porque a la larga no trae sino fracasos, amarguras, esperanzas fallidas y dura esclavitud. Sólo Cristo da verdadera libertad, y la da a todos los que se sometan incondicionalmente a su divina soberanía. El Cristo libertador está aquí. El dice: "He aquí, yo estoy a la puerta y llamo; si alguno oye mi voz y abre la puerta, entraré a él, y cenaré con él, y él conmigo" (Apoc. 3:20). Invítele a entrar. Haga suyas las palabras del himno navideño que dice: "Ven a mi corazón, oh Cristo, pues en él hay lugar para ti." Así podrá entrar en una vida de creciente libertad de todo temor.

Ilustración

* Cuando yo era niño, mis padres me regalaron un triciclo. Era mi juguete favorito, el compañero inseparable de mis ocios infantiles. Recuerdo cierto domingo en que había estado correteando por la calle en frente de nuestra casa, montado en mi triciclo, cuando me llamaron con urgencia para ir al culto nocturno de la iglesia. Por las prisas del caso dejé mi triciclo afuera. Al regresar a casa unas horas después, me acordé de mi juguete y quise salir a recogerlo. ¡Pero estaba muy oscuro! Tenía miedo de salir, pero tenía miedo también de dejar mi triciclo expuesto a que me lo robaran. Mientras que vacilaba entre salir y no salir, mi padre, quien observaba y comprendió mi aflicción, me tomó de la mano y dijo: "Ven, hijo, vamos a guardar tu triciclo en un lugar seguro." Al sentir la presión de su mano callosa sobre la mía, desapareció por completo mi temor, y salí con paso firme a la obscuridad de la noche.

TRES TREMENDAS REALIDADES
Lucas 16:19-31

Todo el capítulo 16 de Lucas, con excepción de los vv.16-18, trata el tema de la mayordomía. Empieza con la parábola del mayordomo injusto cuyas últimas palabras son: "Ningún siervo puede servir a dos señores; porque aborrecerá al uno y amará al otro, o se dedicará al uno y menospreciará al otro. No podéis servir a Dios y a las riquezas." Pero "los fariseos, que eran avaros, oían todas estas cosas y se burlaban de él. Y él les dijo: Vosotros sois los que os justificáis a vosotros mismos delante de los hombres. Pero Dios conoce vuestros corazones; porque lo que entre los hombres es sublime, delante de Dios es abominación" (vv. 13-15). Luego, para reforzar su enseñanza, Cristo relató el caso del rico y Lázaro (Lucas 16:19-31).

Además de hacer hincapié en que no es siervo de Dios quien administre los bienes materiales sólo en beneficio propio, *este relato llama la atención a tres tremendas realidades que siempre debemos tener en cuenta.* ¿Cuáles son?

I. Llama la atención a la realidad de un evento inescapable.

A. Este evento inescapable es la muerte. Fallecieron tanto el rico como Lázaro. Del primero se especifica que fue sepultado, sin duda con el lujo que correspondía a su categoría. Del entierro de Lázaro nada se dice. ¡Pero la muerte les sobrevino a ambos!

B. En toda la historia humana sabemos de sólo dos personas que no conocieron muerte: Enoc (Gén. 5:21-24) y Elías (2 Rey. 2:1-11). En cuanto a los demás, incluyéndonos a nosotros, "está establecido que los hombres mueran una sola vez, y después el juicio" (Heb. 9:27). Así es que nos conviene tener en cuenta la admonición una vez dada al rey Ezequías: "Pon en orden tu casa, porque vas a morir y no vivirás" (Isa. 38:1b).

C. La manera de "poner en orden nuestra casa" consiste en hacer tres cosas:
   1. *Confesar* a Dios que somos pecadores, y que merecemos "la paga del pecado" que es la muerte eterna (Rom. 6:23a).
   2. *Comprender*:
      a. Que el Eterno Hijo de Dios tomó sobre sí la naturaleza humana al ser engendrado por el Espíritu Santo en el seno virginal de María (Luc. 1:26-37);
      b. Que en su naturaleza humana "fue tentado en todo igual que nosotros, pero sin pecado" (Heb. 4:15b); que en la cruz cargó con nuestra culpa y sufrió nuestra condenación (Isa. 53:5, 6, 11; 1 Ped. 2:24); y
      c. Que tres días después, Dios le resucitó (Hech. 2:32).
   3. *Confiar* de corazón en Cristo como nuestro único Señor y Salvador (Rom. 10:8-13).

II. Llama la atención a la realidad de un destino inalterable.

A. Los respectivos destinos de Lázaro y el rico fueron distintos. El pobre "fue llevado por los ángeles al seno de Abraham" (v. 22), un modismo hebreo para denotar el cielo. Pero el rico estaba "en tormentos"(vv. 23, 24), una referencia al infierno (Mat. 25:41-46).

B. Después de la muerte, ambos destinos son inalterables. Al atormentado rico, Abraham dijo: "Un gran abismo existe entre nosotros y vosotros, para que los que quieran pasar de aquí a vosotros no puedan, ni de allí puedan cruzar para acá" (v. 26). Por esto las Escrituras nos advierten del peligro de presumir del mañana (Prov. 27:1; Stg. 4:13, 14), y nos dicen, "¡He aquí ahora el tiempo más favorable! ¡He aquí ahora el día de salvación!" (2 Cor. 6:2b).

III. Llama la atención a la realidad de un testimonio inmejorable.

A. El atormentado rico se acordó de sus cinco hermanos, expuestos todos al mismo destino suyo, y pidió que Lázaro fuese enviado a ellos para advertirles de lo que les esperaba si no cambiaban su manera de vivir. Pero Abraham dijo: "Tienen a Moisés y a los Profetas. Que les escuchen a ellos." Y el rico respondió, "No, padre Abraham. Más bien si alguno va a ellos de entre los muertos, se arrepentirán. Pero Abraham le dijo: *Si no escuchan a Moisés y a los Profetas, tampoco se persuadirán si alguno se levanta de entre los muertos*" (vv. 27-31).

B. Cabe recordar la amonestación de Isaías 8:19, 20 en contra de la práctica de consultar "a los que evocan a los muertos y a los adivinos", así como la insistencia de Pablo en la suficiencia de las Escrituras (2 Tim. 3:14-17).

C. El mensaje inequívoco de las Escrituras es que hay salvación sólo en Cristo Jesús (Juan 14:6; Hech. 4:12). Así es que en palabras del himnólogo le decimos:

> La bondadosa invitación acepta de tu Salvador;
> no cierres, no, tu corazón; ¡Oh sé salvo hoy!
> Tal vez un día ya la luz tus ojos no podrán mirar;
> ¡Oh ven, amigo a Jesús! ¡Oh sé salvo hoy!
> Con cuánto amor te llama: "Ven", el que por ti en la cruz murió.
> ¿Por qué rebelde has de ser? ¡Oh sé salvo hoy!
> Jesús recibe al pecador que en fe le implora el perdón;
> y él te ofrece salvación. ¡Oh sé salvo hoy![1]

---

[1]Elizabeth Reed, "La bondadosa invitación", Núm. 205 *Himnario Bautista* (El Paso: Casa Bautista de Publicaciones, 1978).

NUESTRA SUPREMA NECESIDAD
Juan 3

Si hiciéramos una encuesta para averiguar la opinión general respecto a la suprema necesidad humana, recibiríamos una variedad de respuestas. Muchas personas nos dirían, sin pensarlo dos veces, que su mayor necesidad es la de tener dinero. Otros dirían que lo que más les hace falta es una mejor preparación intelectual o técnica. Todavía otros opinarían que en un mundo como el nuestro, lo que más se necesita es contar con el apoyo de amigos influyentes. Y no faltarían quienes nos asegurasen que nuestra suprema necesidad es la de tener una buena religión.

Nuestro texto en esta ocasión habla de un hombre que era rico. De improviso disponía de 34 kilogramos de especias costosísimas (Juan 19:39). También era una persona bien preparada: "*el* maestro de Israel" (Juan 3:10). Además, era "un gobernante de los judíos" (Juan 3:1), es decir, una persona influyente. Y por último era sumamente religioso, pues era "de los fariseos" (Juan 3:1), la secta más escrupulosamente apegada al cumplimiento de los ritos y detalles legalistas del judaísmo. Pero a pesar de todo esto, el Señor Jesús le hizo ver que todavía no había suplido su *suprema* necesidad. Favor de abrir sus Biblias al Evangelio de Juan, capítulo 3, para seguirme en la lectura de los versículos uno al quince.

En este pasaje el Señor Jesús afirma categóricamente que *nuestra suprema necesidad es la de nacer de nuevo:* "No te maravilles", le dijo a Nicodemo, "os es necesario nacer de nuevo" (v. 7). Pero ¿qué significa "nacer de nuevo" y qué tiene uno que hacer para tener tal experiencia? Permitamos que el mismo Hijo de Dios nos dé las respuestas a estas dos preguntas.

I. ¿Qué significa "nacer de nuevo"?

A. Significa "nacer de arriba" (véase Juan 3:31 donde la misma palabra griega se traduce de esta manera, y también la nota marginal para Juan 3:3 que aparece en Reina-Valera Actualizada, Reina-Valera, Revisión de 1977, La Versión Moderna de Pratt, etc.). En otras palabras, nuestra condición humana es tal que para remediarla no bastan esfuerzos humanos. Se precisa nada menos que una intervención divina.

B. Significa "nacer de agua y del Espíritu". No se trata de un nuevo nacimiento físico, sino de un nacimiento espiritual, de una obra del Espíritu divino en nuestro espíritu humano que produce dos efectos:

1. Nos *limpia* de todas las impurezas de nuestra vida pasada. A esto se refirió Pablo en Tito 3:5 al hablar de "el lavamiento de la regeneración". Al impartirnos el nuevo nacimiento el Espíritu Santo nos purifica. Después, el acto externo del bautismo simboliza esta previa purificación interna (Hech. 22:16).
2. Nos *renueva* para que en adelante seamos capaces de llevar vidas cambiadas. Tito 3:5 no sólo habla de "el lavamiento de la regeneración" sino también, y como parte esencial de lo mismo, de "la renovación del Espíritu Santo". Por esto fue que Jesús comparó el nuevo nacimiento con el viento (Juan 3:8). El viento en sí es invisible, pero produce efectos visibles. Lo mismo sucede con el nuevo nacimiento. Su realidad se manifiesta en conducta cambiada.

II. ¿Qué tiene uno que hacer para experimentar el nuevo nacimiento?

A. Como los hebreos del Antiguo Testamento reconocieron que llevaban en su sangre el veneno de las víboras ponzoñosas (Núm. 21:4-9), nosotros tenemos que reconocer que llevamos en el alma el veneno mortífero del pecado (Rom. 3:23; 6:23a).
B. Como los hebreos del Antiguo Testamento reconocieron su incapacidad para salvarse a sí mismos de la muerte física (Núm. 21:4-9), nosotros tenemos que reconocer nuestra incapacidad para salvarnos de la condenación del pecado (Rom. 3:20; Ef. 2:8, 9).
C. Como los hebreos del Antiguo Testamento miraron a la serpiente de bronce para recibir la sanidad física (Núm. 21:4-9), nosotros tenemos que lanzar "una mirada de fe" al Cristo crucificado como el único que nos puede dar vida espiritual (Juan 14:6; Hech. 4:12).

Eso fue lo que hizo el joven quinceañero Carlos Haddon Spurgeon el domingo 6 de enero de 1850. Llevaba ya cinco años buscando paz espiritual. Era hijo de pastor y asiduo asistente a los cultos de su iglesia, pero nadie le había explicado cómo recibir la salvación. Y aunque no era un joven vicioso, su considerable conocimiento de la Biblia sólo servía para sumirle en la angustiosa convicción de que su pecado merecía la condenación divina.

Al salir de casa aquella mañana nevaba con tal furia que en vez de dirigirse al templo que pensaba visitar, entró en una pequeña capilla más cerca de su casa. No pasaban de quince los asistentes, y cuando fue evidente que el pastor no iba a presentarse, un humilde hermano que parecía ser sastre o zapatero, consintió en dirigirles la palabra. Tomó como texto Isaías 45:22 que dice: "Mirad a mí, y sed salvos, todos los términos de la tierra, porque yo soy Dios, y no hay más". Su escasa preparación no le permitió hacer más que hablar en términos generales de la necesidad de mirar a Cristo para la salvación.

Decía: "Cristo te dice: Mírame sudando grandes gotas de sangre. Mírame colgado de la cruz. Mírame muerto y sepultado. Mírame resucitado y ascendido a la diestra del Padre. No te mires a ti mismo. Mírame a mí y serás salvo." Parecía que iba a terminar cuando se dio cuenta de la presencia del joven Spurgeon sentado en un rincón de la capilla. Señalándole con su huesudo dedo índice le dijo: "Joven, veo que te sientes miserable. Y te digo que seguirás sintiéndote miserable —miserable en vida y miserable en muerte— si no obedeces a mi texto. Pero si obedeces, en este momento serás salvo. Oh, joven, ¡mira a Cristo y serás salvo!" Y en ese instante el futuro príncipe del púlpito inglés miró, y recibió el perdón de sus pecados y la seguridad de la vida eterna.

¿Ha mirado usted a Cristo para entregarse de corazón a él? Si no, le ruego que lo haga ahora mismo.

ACLARACIONES DE JESUS SOBRE EL MINISTERIO DE LA PALABRA

Juan 21:1-22

El Nuevo Testamento enseña que todo creyente es un ministro. El Espíritu Santo ha enriquecido a cada discípulo con alguna dotación especial de gracia divina, la cual le hace potencialmente apto para ministrar a otros en el nombre de Cristo, para la gloria del Padre, y en favor del crecimiento numérico y espiritual de la iglesia.

Pero entre los diversos ministerios en que Dios emplea a sus hijos, uno de ellos es llamado "el ministerio de la palabra" (Hech. 6:4). Los que somos llamados para desempeñar este ministerio, además de ser convertidos, necesitamos dar evidencia de poseer las cualidades enumeradas en 1 Timoteo 3:1-7 y Tito 1:5-9.

Tan importante es este ministerio que Satanás continuamente procura desalentar a los que nos ocupamos en él. Una buena manera de vencer esta tentación consiste en meditar sobre la entrevista que tuvo Jesús, después de su resurrección, con siete de sus apóstoles a orillas del Mar de Galilea. El relato de aquella entrevista se encuentra en Juan 21:1-22.

En este hermoso pasaje el Señor Jesús hace tres aclaraciones sobre el ministerio de la Palabra. ¿Cuáles son?

I. Aclara que el ministerio de la Palabra consiste en una doble tarea.

A. Consiste en una tarea evangelística. Esto fue simbolizado por la pesca milagrosa concedida después de aquella noche de estéril labor. Dicho milagro debe de haber hecho que Pedro y sus compañeros recordasen el milagro parecido (Luc. 5:1-10) mediante el cual habían sido llamados a ser "pescadores de hombres". Ahora se les estaba indicando que aquella vocación no había sido revocada; que habían de seguir ocupándose en la tarea de "tomar vivos" a los humanos, librándoles del cautiverio satánico (2 Tim. 2:26) y cautivándoles para el servicio de Dios. [Sólo en Luc. 5:10 y 2 Tim. 2:26 emplea el N.T. el verbo que significa "tomar vivos".]

B. Consiste en una tarea pastoral. Esto fue especificado por las órdenes: "Apacienta mis corderos ... pastorea mis ovejas ... apacienta mis ovejas" (vv. 15-17). Esta es la tarea de guiar, proteger, alimentar, restaurar y adiestrar, tanto a los nuevos creyentes ("mis corderos") como a los más maduros ("mis ovejas") con el fin de que todos sean firmes en la fe y efectivos en los ministerios para los cuales sus respectivos dones les hacen potencialmente aptos.

II. Aclara que el ministerio de la Palabra entraña una doble demanda.

A. Demanda amor: "¿Me amas tú más que éstos?... ¿Me amas?... ¿Me amas? (vv. 15-17). El ministro de la Palabra necesita recordar que el más grande de todos los mandamientos es el de amar a Dios supremamente (Mar. 12:28-30). Faltando este amor, todo lo demás es en vano (Apoc. 2:1-5).

B. Demanda obediencia: "Sígueme... Tú, sígueme" (vv. 19, 22). El ministro de la Palabra debe seguir a Jesús: (1) continuamente (el verbo es un imperativo en tiempo presente, lo cual significa acción habitual); (2) sin importarle lo que cueste (vv. 18, 19); y (3) sin hacer caso de lo que hagan otros (vv. 20-22).

III. Aclara que el ministerio de la Palabra ofrece una doble seguridad.

A. Ofrece la seguridad de provisión. Tras una noche de agotadora e infructuosa labor, Jesús mismo sirvió el desayuno a los hambrientos y cansados pescadores (vv. 5-13). Ha prometido suplir todas nuestras legítimas necesidades si le damos primer lugar en nuestro amor y lealtad (Mat. 6:25-33; Fil. 4:19). En un sentido profundo, nuestro amado Salvador es "Siervo de los siervos de Dios".

B. Ofrece la seguridad de frutos. Al seguir las indicaciones del Maestro de echar la red a la mano derecha, "ya no podían sacarla por la gran cantidad de peces... grandes pescados, 153 de ellos" (vv. 6, 11). Véanse Juan 15:16 e Isaías 55:10-11. No siempre veremos de inmediato los frutos de nuestra labor. Pero si somos fieles, Dios se encargará de que con tiempo nuestros esfuerzos serán premiados. De esto doy mi testimonio personal.

Mis primeros intentos de ministrar en el idioma español produjeron muy escasos frutos visibles. Durante toda mi carrera universitaria atendía un punto de predicación en un lugar llamado *El Rincón* donde vivían unas sesenta familias mexicanas. Con toda fidelidad visitaba, testificaba y predicaba lo mejor que podía. ¡Y al fin de seis años había bautizado a sólo dos personas! Me sentí tan desanimado que pensaba abandonar el ministerio. Pero poco a poco Dios me hizo comprender que eso no me era posible. Ingresé al Seminario, y fui llamado a pastorear la pequeña congregación bautista hispana de la ciudad. Terminados los estudios de seminario, fuimos mi esposa y yo como misioneros a México, y allí estuvimos once años antes de disfrutar nuestra primera licencia. Un día durante aquella licencia (quince años después de haber salido tan desanimado de mi primer campo misionero) tocó la puerta de nuestro apartamento un apuesto joven mexicano. Cuando le abrí, me dijo: "Hermano Crane, yo soy Chuy Porras de *El Rincón*. Le he buscado para decirle que todas aquellas visitas que hizo a nuestra numerosa familia no fueron en vano. Ahora todos menos papá somos creyentes. Tengo un hermano que es pastor, y yo soy cantante evangelístico de tiempo completo."

¡Gloria a Dios! Nuestro trabajo en el Señor no es en vano (1 Cor. 15:58). Renovemos, pues, nuestra dedicación a este precioso ministerio al cual hemos sido llamados. Seamos fieles en la evangelización de los perdidos y la edificación de los creyentes. Amemos supremamente a Dios y obedezcámosle incondicionalmente. Démosle gracias por su fidelidad en suplir todas nuestras necesidades hasta ahora, y alabémosle por la grandeza de su poder para hacernos fructíferos hasta el fin.

COMO HABLAR CONFIADAMENTE POR CRISTO

Hechos 1:8; 18:9

"Y me seréis testigos ..." (Hech. 1:8). "No temas, sino habla y no calles" (Hech. 18:9). "No nos ha dado Dios un espíritu de cobardía, sino de poder, de amor y de dominio propio. Por tanto, no te avergüences de dar testimonio de nuestro Señor..." (2 Tim. 1:7, 8a). Estos y otros pasajes del Nuevo Testamento dejan fuera de toda duda que cada creyente debe testificar confiadamente de su fe.

Pero al principio esto no es fácil para muchos. Nunca olvidaré mi primer intento de hablar por Cristo. Tenía diez años de edad y dos de ser creyente. Nuestro pastor frecuentemente nos exhortaba a testificar a personas inconversas, y yo sentía la obligación de hacerlo. Pero, ¿con quién? El abuelo de mi mejor amiguito era un anciano bonachón que me trataba con cariño por ser amigo de su nieto favorito. Pero se decía en el pueblo que el viejito era ateo y que su esposa era espiritista. ¡Aquello me preocupaba!

Por fin, un día les dije a mis padres de crianza que yo iba a hablarle al señor Wagnon acerca de la salvación. Estoy seguro de que ellos comprendían que un niño de diez años no estaba preparado para enfrentarse con un ateo. Pero no querían impedir mi obediencia a Dios, y me dejaron ir. Llegué a la casa de dicho señor y toqué la puerta. Pero cuando él la abrió y me preguntó, "¿Qué quieres, Chaguito?", le vi tan grande e imponente que me entró un miedo atroz. Sin poderle decir nada, di la media vuelta y regresé corriendo y llorando a mi casa.

Por siete años después de aquel fracaso no intenté hablar de Cristo a nadie. Pero cuando tuve diecisiete años me tocó tener una maestra en la Escuela Dominical a quien Dios usó para "curarme del espanto". En un curso de estudio especial nos enseñó varios pasajes bíblicos apropiados para usar en el evangelismo personal. Entonces, cierto domingo, me habló de un joven que estaba hospitalizado con severas quemaduras. "Ese joven", me dijo, "no es creyente, y yo te encargo su alma". Me sentí comprometido, y empecé a visitarlo. Le leía los pasajes que la maestra nos había enseñado y oraba por él. Después de varias visitas le pregunté si había entendido que era pecador, que no podía salvarse a sí mismo, y que Jesucristo había muerto por todos nosotros, sufriendo así nuestra condenación y haciendo posible nuestra salvación. Cuando me aseguró que lo había entendido, le pregunté si quería aceptar a Jesús como su propio Salvador, y dijo que sí.

Reflexionando sobre aquellas dos experiencias, me he preguntado cómo pudiera haber evitado tanta pérdida de tiempo. Luego, leyendo en los Evangelios y el libro de Los Hechos, descubrí tres maneras en que los creyentes neotestamentarios testificaron de su fe. *Me convencí de que cual-*

quier creyente que confíe en Dios y utilice progresivamente estos mismos métodos, será librado de sus temores y hablará confiadamente por Cristo. ¿Cuáles son estos tres métodos?

I. Invitar a nuestros conocidos a ir a escuchar hablar a otra persona que sepa presentar el evangelio.

A. Ejemplos son: (1) Felipe (Juan 1:45, 46); (2) La mujer samaritana (Juan 4:28-30, 39); y (3) El centurión Cornelio (Hech. 10:24, 33, 44, 45).
B. Este es un método sencillo y fácil que sin duda muchos de ustedes ya están practicando. ¡Sigan haciéndolo!

II. Relatar nuestra propia experiencia de conversión.

A. Ejemplos son: (1) El endemoniado de Gadara (Mar. 5:18-20); (2) El apóstol Pablo (Hech. 22:1-16; 26:1-23).
B. Dada la natural curiosidad de todo el mundo para saber de vidas ajenas, este método siempre despierta interés. Para aprovechar bien dicho interés nuestro testimonio debe ser: (1) *veraz*, sin ápice de exageración; (2) *humilde*, recordando que el héroe de la historia es Cristo, y no nosotros; (3) *prudente*, desprovisto de detalles morbosos que puedan despertar malos pensamientos; y (4) *breve*. El más extenso de los testimonios de Pablo (Hech. 26:1-23) puede ser leído pausadamente en menos de cinco minutos. ¡Sigamos su ejemplo!

III. Hacer una presentación bíblica del evangelio.

A. Tenemos un ejemplo en el encuentro de Felipe con el etíope (Hech. 8:26-38). Véanse particularmente los vv. 30-35.
B. Una presentación bíblica del evangelio hará hincapié en las siguientes consideraciones: (1) el amor divino (Juan 3:16; 10:10b); (2) el pecado humano (Rom. 3:23; 6:23a); (3) el sacrificio de Cristo (Rom. 5:8; Juan 14:6); (4) la demanda de arrepentimiento (Hech. 3:19a); y (5) la necesidad de la fe (Rom. 6:23; Juan 1:12; Apoc. 3:20; 1 Jn. 5:11, 12). Marquemos estos pasajes en nuestras Biblias y estemos preparados para hablar de ellos a toda persona que esté dispuesta a escuchar.

Recuerdo una ocasión en que me engañé respecto a tal disposición. Viajando de noche en autobús entre la ciudad de México y la frontera norte del país, me tocó sentarme junto a un joven con quien pude compartir el evangelio. Mientras hablábamos, noté que un caballero que estaba sentado cerca nos escuchaba. Pensé que debía tratar de hablarle a él también, pero ya era muy tarde y decidí esperar. En la mañana el autobús hizo parada para transbordarnos a otro vehículo y darnos tiempo para desayunar. Observé dónde se sentó mi presunto candidato para ser evangelizado, y pedí su permiso para sentarme en la misma mesa. Accedió, pero no bien me hube sentado cuando él empezó a maldecir. Era agente viajero, y al observar el traslado del equipaje al segundo autobús, se había dado cuenta de que faltaban algunas de las maletas en que llevaba muestras de su mercancía. Estaba tan enojado que pensé que era inoportuno hablarle del evangelio.

Aquella tarde llegamos al destino final del agente viajero, mismo lugar donde yo tenía que cambiar de autobús para continuar hacia la frontera. Estando los dos frente a la mesa de entrega del equipaje, aquel señor me miró fijamente y preguntó: "¿Es usted evangélico?" Cuando le dije que sí, me mostró un ejemplar del Evangelio de Mateo, y dijo: "Hace tiempo, alguien me regaló este librito, y todo el día he estado deseando que usted me hablara de él."

¡Perdónanos, Señor, que hemos desaprovechado tantas oportunidades de compartir tu evangelio! ¡Ayúdanos a serte más fieles de hoy en adelante!

EL CRECIMIENTO DE LA PALABRA

Hechos 1:5 indica que después de la ascensión de Cristo, los "hermanos" que estaban reunidos en Jerusalén "eran como ciento veinte en número". El resto de Los Hechos consigna no menos de treinta referencias al subsecuente aumento numérico del pueblo cristiano. Tres de aquellas referencias se distinguen de las demás en que describen el aumento numérico de los creyentes como crecimiento de la misma palabra de Dios. Y lo más interesante es que cuando estudiamos estos tres pasajes en relación con sus respectivos contextos, descubrimos tres cosas que siempre contribuyen poderosamente a la ganancia de nuevas almas para Cristo. ¿Cuáles son estos tres pasajes, y qué nos enseña cada uno?

I. El primero es Hechos 6:7.

A. Aquí el contexto (6:1-6) indica que en la iglesia de Jerusalén hubo quejas de discriminación en relación con su ayuda para las viudas indigentes. El problema fue resuelto mediante un reparto de ministerios. Los apóstoles se concentraron "en la oración y en el ministerio de la palabra". Y la iglesia escogió a siete hombres "de buen testimonio, llenos del Espíritu y de sabiduría" a quienes encomendaron "la tarea", o sea el ministerio, de la beneficencia. Entonces se produjo el crecimiento indicado en el versículo 7 que ya leímos.

B. Aquella solución fue nada menos que una aplicación práctica de la doctrina de los dones del Espíritu. Cada congregación cristiana es una manifestación local del "cuerpo de Cristo" (1 Cor. 12:27). Como tal, debe desempeñar una "diversidad de ministerios" (1 Cor.12:5). Puede hacerlo porque "a cada cual le es dada la manifestación del Espíritu para provecho mutuo" (1 Cor. 12:7). Pero este provecho no es producido a menos que "cada uno ponga al servicio de los demás el don que ha recibido, como buenos administradores de la multiforme gracia de Dios", hablando "conforme a las palabras de Dios" y sirviendo a los demás "conforme al poder que Dios le da, para que en todas las cosas Dios sea glorificado" (1 Ped. 4:10, 11). ¡Para que cualesquiera iglesia local experimente "crecimiento de la palabra" es necesario que ayude a sus miembros a descubrir, a dedicar y a desarrollar sus respectivos dones en los ministerios para los cuales éstos les hacen potencialmente aptos!

II. El segundo es Hechos 12:24.

A. Aquí el contexto (12:1-21) nos informa que el rey Herodes "hizo matar a espada" al apóstol Santiago, y "al ver que esto había agradado a los judíos, procedió a prender también a Pedro... con la intención de sacarlo al pueblo después de la Pascua". Frente a esa situación "la iglesia sin cesar hacía oración a Dios por él" (vv. 1-5). VHA traduce: "y la iglesia hacía por él ferviente oración a Dios". La expresión griega en cuestión abarca tanto la constancia como el fervor de las plegarias ofrecidas.

B. La manera en que Lucas relata aquella persecución indica que la contestación divina a las continuas y fervientes plegarias de la iglesia abarcó: (1) la liberación de Pedro (vv. 6-19); (2) la muerte de Herodes (vv. 20-23); y (3) el subsecuente "crecimiento de la palabra" (v. 24).

C. Quiere decir que nuestras intercesiones sirven como canales para hacer llegar el poder redentor de Dios hasta personas y circunstancias necesitadas. Por esto Pablo pedía que sus hermanos "luchasen" con él en oración para que fuese librado de sus enemigos y su ministerio fuese aceptado por los creyentes (Rom. 15:30, 31).[1] Cuando cualesquiera congregación cristiana involucra a sus miembros en ministerios de intercesión, la conversión de almas perdidas es uno de los resultados que se consiguen. Si no lo creen, ¡hagan la prueba!

III. El tercero es Hechos 19:20.

A. Aquí el contexto (19:8-19) habla del ministerio de Pablo en Efeso. Por tres meses predicaba a los judíos (v. 8). Pero cuando éstos rehusaban creer, se dedicó durante dos años a evangelizar a los gentiles. Y "Dios hacía milagros extraordinarios por medio de las manos de Pablo", incluyendo sanidades y exorcismos (vv. 11, 12). Entonces unos exorcistas judíos intentaron hacer lo mismo, diciendo: "¡Os conjuro por el Jesús que Pablo predica!" Pero el espíritu malo dijo: "A Jesús conozco, y sé quien es Pablo; pero vosotros, ¿quiénes sois? Y el hombre en quien estaba el espíritu se lanzó sobre ellos y les dominó de tal manera que huyeron desnudos y heridos" (vv. 13-16). En seguida, "muchos de los que habían creído venían confesando y reconociendo sus prácticas públicamente. Asimismo, un buen número de los que habían practicado la magia trajeron sus libros y los quemaron delante de todos" (v. 18, 19a). Y "de esta manera crecía la palabra del Señor y prevalecía poderosamente" (v. 20).

B. Los que "venían confesando y reconociendo sus prácticas" fueron "de los que habían creído". Si la redacción fuera "de los que creían", entonces entenderíamos que se trataba de personas que acababan de convertirse. Pero el tiempo pretérito imperfecto del verbo se entiende mejor como una designación de personas que ya eran creyentes, pero que aún no habían abandonado totalmente sus prácticas paganas. Como tales les hacía falta actuar de acuerdo con la amonestación dada al pueblo de Israel: "Si se humilla mi pueblo sobre el cual es invocado mi nombre, si oran y buscan mi rostro y se vuelven de sus malos caminos, entonces yo oiré desde los cielos, perdonaré sus pecados y sanaré su tierra" (2 Crón. 7:14). No son los pecados de los inconversos los que detienen un despertar espiritual. ¡Son más bien los pecados no confesados y no abandonados del propio pueblo de Dios!

Dios anhela que su palabra crezca y prevalezca poderosamente entre nosotros también. Pero tenemos que cumplir las condiciones. Cada iglesia local necesita ayudar a sus miembros a descubrir, a dedicar y a desarrollar sus respectivos dones espirituales en los ministerios para los cuales éstos les hacen potencialmente aptos. Cada iglesia necesita involucrar a sus miembros en ministerios de intercesión en favor de la conversión de los perdidos. Y cada uno de nosotros necesita confesar nuestros pecados a Dios y abandonarlos. ¡Sólo entonces experimentaremos *el crecimiento de la Palabra!*

---

[1]Para una discusión más amplia de este concepto, véase James D. Crane, *La oración cristiana* (Casa Bautista de Publicaciones, 1991), Págs. 29-32.

UNA IGLESIA VERDADERAMENTE CRISTIANA

El nombre "cristiano" aparece sólo tres veces en la Biblia. Hechos 26:27, 28 revela el desdén con que el rey Herodes rechazaba el evangelio. "¿Piensas que en tan poco tiempo puedes persuadirme a que me haga cristiano?" (NVI). 1 Pedro 4:16 revela la lealtad que el nombre siempre debe inspirar en el pueblo de Dios. "Ninguno de vosotros padezca como homicida, o ladrón, o malhechor, o por entrometerse en asuntos ajenos. Pero si alguno padece como cristiano, no se avergüence; más bien, glorifique a Dios en este nombre." Y Hechos 11:26 habla del ministerio mancomunado de Bernabé y Pablo en la ciudad de Antioquía de Siria, diciendo que "se reunieron todo un año con la iglesia y enseñaron a mucha gente. Y los discípulos fueron llamados cristianos por primera vez en Antioquía".

Es llamativo el hecho de que los discípulos de Jesucristo nunca fueron llamados "cristianos" sino hasta que surgió la iglesia de Antioquía. *Evidentemente aquella congregación de creyentes demostró tener las características que Dios busca en toda iglesia que sea verdaderamente cris-*

tiana. ¿Cuáles, pues, son estas características? La respuesta se halla en Hechos 11:19-30; y 12:25-13:3.

I. Una iglesia verdaderamente cristiana practica un evangelismo total (Hech. 11:19-21).

A. Todos los creyentes se dedican a evangelizar. (Compárese Hech. 11:19 con Hech. 8:1b). No fueron los apóstoles quienes evangelizaron a Antioquía, sino los laicos.
B. Los creyentes se dedican a evangelizar a todos los que están a su alcance (Hech. 11:19, 20). Debemos evangelizar a nuestros hermanos de raza y a personas con quienes nos sintamos cómodos. Pero no debemos limitar nuestros esfuerzos evangelísticos a ellos. Dios no hace acepción de personas, y tampoco debemos hacerlo nosotros (Deut. 10:17; Hech. 10:34; Rom. 2:11; Stg. 2:9; 1 Ped. 1:17).

II. Una iglesia verdaderamente cristiana enseña a los que ha evangelizado (Hech. 11:25, 26a).

A. Tanto el Señor Jesús (Mat. 28:20a) como el apóstol Pablo (Hech. 20:35; 1 Cor. 14:19; Col. 1:28) hacían hincapié en la enseñanza de los ya evangelizados.
B. Se requiere no sólo que todo pastor sea "apto para enseñar" (1 Tim. 3:2; 2 Tim. 2:24), sino también que todo creyente sea capaz de enseñar a otros (2 Tim. 2:2; Tito 2:3, 4; Heb. 5:12-14).

III. Una iglesia verdaderamente cristiana ofrenda para necesidades más allá de su propia localidad (Hech. 11:27-30).

A. En todo el Imperio Romano la tercera ciudad en importancia era Antioquía de Siria. Apenas se había iniciado su evangelización. Es obvio que todos los recursos de la recién nacida iglesia pudieron haber sido invertidos con provecho en la obra misionera local. Pero el Espíritu de Cristo les movió a contribuir a necesidades fuera de su localidad.
B. Así ofrendaban también "las iglesias de Macedonia" (2 Cor. 8:1-4).
C. Este mismo espíritu debe caracterizarnos a todos nosotros también.*

IV. Una iglesia verdaderamente cristiana se empeña en buscar y obedecer la voluntad de su Señor (Hech. 13:1-3).

A. La seriedad de su búsqueda fue manifestada por la prioridad que le dieron. La Biblia habla frecuentemente de ocasiones en que individuos o grupos practicaron el ayuno. En la mayoría de los casos se especifica que oraron. En los casos en que la oración no se especifica, generalmente se sobreentiende. Y en muchos casos, se especifica que tanto el ayuno como la oración fueron motivados por situaciones que provocaron fuertes emociones, tales como tristeza, temor, indignación, angustia, incertidumbre, arrepentimiento, o exaltación. Isaías 58:1-12 condena el ayuno legalista. Pero cuando somos motivados por una seria preocupación por el honor de Dios, la prosperidad de su Reino, y el bienestar eterno o temporal de otros, habrá ocasiones cuando debemos abrir un paréntesis en nuestra rutina para dedicarnos más seriamente a la búsqueda de la dirección y del poder de Dios.

B. La integridad de su búsqueda fue manifestada por su obediencia a la respuesta divina. Dios pidió que entregaran a Bernabé y a Saulo, sus mejores elementos, para la obra misionera fuera de Antioquía. Y "les impusieron las manos y los despidieron" (Hech. 13:3).

Si deseamos que nuestra propia iglesia sea verdaderamente cristiana, aquí tenemos el modelo a que debemos aspirar. Entreguémonos a practicar un evangelismo total.

Dediquémonos a adiestrar a todos los hermanos para el servicio que el Señor espera de cada uno. Incluyamos en nuestro presupuesto ofrendas dignas para la obra misionera en otros lugares. Y empeñémonos continuamente en buscar y en obedecer la voluntad de Dios respecto a todo posible plan de acción.

Ilustración

* La obra en Aiguá, Uruguay tuvo un notable comienzo. Un pastor bautista en China leyó en una revista misionera acerca de la necesidad del evangelio que existía en el Uruguay. Envió al misionero Orrick una cantidad que equivalía a la cuarta parte de su sueldo mensual. El dinero fue entregado a la Iglesia Bautista "Mina" de Montevideo, la cual empezó a incrementar el fondo y a pedir la dirección de Dios respecto a su uso. Se convencieron de que debían abrir una misión en el pueblo de Aiguá, y así lo hicieron. La iglesia que ahora adora a Dios en ese lugar constituye un testimonio del espíritu misionero de un humilde pastor bautista chino.[1]

[1]Baker James Cauthen & Frank K. Means, *Advance to Bold Mission Thrust, 1845-1890* (Richmond: Foreign Mission Board, SBC, 1981), Pág. 258. Traducción del autor.

PREGUNTA REVELADORA Y RESPUESTA ACERTADA
Hechos 16:16-34

Nuestras preguntas a menudo son reveladoras. La de Caín —"¿Soy yo acaso el guarda de mi hermano?" (Gén. 4:9b)— reveló su falta de arrepentimiento por el asesinato de su hermano Abel. La de Job —"Si el hombre muere, ¿volverá a vivir?" (Job 14:14a)— reveló la ignorancia que reinaba antes de Cristo respecto al futuro de los muertos. Y la pregunta de Judá —"¿Cómo volveré yo a mi padre si el muchacho no está conmigo?" (Gén. 44:34a)— reveló la radical transformación que Dios había obrado en él. Antes, con sangre fría vendió como esclavo a su hermano José, sin importarle los sufrimientos que causaba. Pero ahora prefería entregarse él mismo a la esclavitud antes de hacer sufrir a su padre otra vez.

Ninguna de aquellas tres preguntas fue contestada directamente. *Pero en esta ocasión vamos a meditar en una pregunta que no sólo fue reveladora sino que recibió una clara y acertada respuesta.* Me refiero a la pregunta que el carcelero de Filipos les hizo a Pablo y a Silas después del terremoto que sacudió la prisión que custodiaba. La pregunta del carcelero fue: "Señores, ¿qué debo hacer para ser salvo?" Y la respuesta de Pablo y Silas fue: "Cree en el Señor Jesús y serás salvo, tú y tu casa." ¿Qué revela la pregunta de aquel carcelero, y por qué fue y sigue siendo acertada la respuesta que recibió?

I. La pregunta del carcelero revela dos cosas.

A. Revela que tenía una conciencia despierta.

1. La conciencia humana desempeña un importante pero limitado papel. Nos hace entender que existen distinciones morales, y que debemos hacer lo que creamos bueno, y debemos evitar lo que creamos malo. No designa cuáles cosas sean buenas ni cuáles malas. Esto lo define nuestra crianza. Por ejemplo, antes de su conversión, como celoso fariseo que era, Saulo de Tarso perseguía a los cristianos con limpia conciencia (Hech. 23:1 y 1 Tim. 1:13).
2. Cuando hacemos lo que creamos bueno, la conciencia nos colma de satisfacción. Pero cuando hacemos lo que creamos malo, la conciencia nos hace sentirnos culpables.
3. Además, cada vez que le obedecemos, la conciencia se vuelve más fuerte. Pero cada vez que le desobedecemos, se debilita. Y si persistimos en nuestras desobediencias, podemos acabar por "cauterizarla" (1 Tim. 4:2), destruyendo por completo su capacidad para advertirnos de nuestro pecado y peligro espiritual.
4. Pero la pregunta del carcelero revela que su conciencia todavía estaba despierta, pues le advertía que estaba en peligro. ¡Y la advertencia le hizo buscar ayuda!

B. Que tenía también un concepto erróneo.
   1. Su error consistía en que pensaba que su salvación dependía de algo que él mismo fuera capaz de hacer. Este es un error común.
   2. Es también un error fatal. La Ley de Dios es como una cadena. Si se rompe un solo eslabón, la cadena se parte (Stg. 2:10 y Gál. 3:10).
   3. Pero a pesar del error que encerraba, la pregunta del carcelero fue sincera, y como tal recibió una respuesta acertada.

II. La respuesta de Pablo y Silas fue y sigue siendo acertada por dos razones.

A. Porque señala al único que puede salvar: "El Señor Jesús".
   1. "Jesús" es su nombre humano. Nos recuerda su nacimiento y desarrollo humanos, su niñez de sumisión a José y María, su oficio como carpintero, su hambre y sed, su cansancio, sus tentaciones, sus alegrías, sus tristezas, y su muerte en la cruz. "Jesús" es el nombre que asegura que nos comprende, que siente lo que sentimos y que se compadece de nuestro dolor y necesidad (Heb. 2:17, 18; 4:14-16).
   2. "Señor" es su nombre divino. Nos recuerda su nacimiento virginal, su vida sin pecado, sus poderosas obras, y su gloriosa resurrección y ascensión al cielo. "Señor" es el nombre que nos asegura que "puede salvar por completo a los que por medio de él se acercan a Dios, puesto que vive para siempre para interceder por ellos" (Heb. 7:25).
   3. Y precisamente porque es tanto humano como divino, es el único que nos puede salvar (Mat. 1:21; Hech. 4:12; 1 Tim. 2:5).

B. Porque indica la única condición que Dios exige para darnos salvación: "Cree en el Señor Jesús".
   1. "Creer en el Señor Jesús" significa creer "con la cabeza", aceptando intelectualmente que Jesús es quien reclama ser —Dios mismo manifestado (Juan 8:23, 24) y único camino de salvación (Juan 14:6).
   2. También significa creer "con el corazón" (Rom. 10:8-10), obedeciéndole en el arrepentimiento de nuestros pecados (Mat. 4:17) y en una vida de sumisión continua a su divina voluntad (Mat. 11:29, 30).*
   3. ¿Ha creído usted de estas dos maneras? Si no, hágalo ahora mismo.

¿Te sientes casi resuelto ya? ¿Te falta poco para creer?
Pues, ¿por qué dices a Jesucristo: "Hoy no, mañana te seguiré"?
¿Te sientes casi resuelto ya? Pues vence el casi, a Cristo ven;
Pues hoy es tiempo, pero mañana bastante tarde pudiera ser.
El "casi" nunca te servirá en la presencia del justo Juez.
¡Ay del que muere casi creyendo! ¡Completamente perdido está![1]

Ilustración

* Hace años, estando de viaje, desperté una madrugada con un intenso dolor en la región lumbar. Me informé respecto al mejor médico local y fui a consultarle. Me tomó una radiografía la cual indicó que había un cálculo grande en un riñón. Me dijo que era preciso operarme. Por las buenas recomendaciones recibidas, yo creía con la cabeza en la capacidad de aquel médico, pero no quería someterme a cirugía. Le pedí mejor que me diera unos calmantes. Me los recetó, pero cada vez que tomaba uno, el estómago lo rechazaba. ¡Y aumentaba el dolor! Por fin, ya no aguantaba más y regresé con el doctor. Me mandó al hospital. Allí me anestesió, y mientras yo no podía ni siquiera menear el dedo meñique en defensa propia, aquel señor me hizo una tajada de veinte centímetros de largo y extirpó la piedra. ¡Por fin yo había creído de corazón en ese médico!

---

[1]P. P. Bliss, Tr., Pedro Castro, "¿Te sientes casi resuelto ya?", núm. 209 *Himnario Bautista* El Paso: Casa Bautista de Publicaciones, 1978.

EL PROPOSITO DE DIOS EN NUESTRA SALVACION

Hechos 26:9-19

Los testimonios de conversión cristiana pueden ser de grande edificación, especialmente cuando son de personas que han servido a Dios con comprobada fidelidad. Pero el impacto edificante de tales testimonios se malogra cuando no hacemos la debida distinción entre sus elementos puramente individuales y los que son parte íntegra de la experiencia de todo el pueblo de Dios. Veamos, por ejemplo, el testimonio del apóstol Pablo. Es obvio que la gloriosa aparición a él del Cristo resucitado y los tres días de ceguera que siguieron no constituyen parte de toda conversión cristiana. *Pero en la secuela de aquel dramático encuentro, se le reveló a Pablo el propósito que Dios tiene en mente cuando salva a cualesquier pecador.* Oigamos el relato bíblico. De acuerdo con este pasaje, ¿cuál es el propósito de Dios en nuestra salvación?

I. Para hacernos sus ministros (siervos) y sus testigos (v. 16).

A. Como ministros, o sea siervos, tenemos a Cristo mismo como nuestro ejemplo (Mar. 10:42-45; Juan 13:3-5, 15).

B. Como testigos, nuestro testimonio debe ser el de una experiencia cristiana progresiva ("...testigo de las cosas que has visto de mí y de aquellas en que apareceré a ti" (Hech. 26:16b). Por esto se nos ha mandado: "Creced en la gracia y en el conocimiento de nuestro Señor y Salvador Jesucristo" (2 Ped. 3:18a).

II. Para enviarnos en una misión de iluminación (v. 18).

A. El mundo está perdido porque Satanás ha cegado "el entendimiento de los incrédulos" (2 Cor. 4:3, 4).
B. Jesús vino como "La luz del mundo" (Juan 8:12). En la medida en que mantenemos ininterrumpida nuestra comunión con él, nos hace "luz del mundo" a nosotros también, capacitándonos para cumplir la difícil misión de abrir los ojos de los perdidos "para que se conviertan de las tinieblas a la luz" (v. 18a).*
C. Cuando llevamos a cabo nuestra misión de iluminación espiritual, se producen tres resultados:
   1. Almas esclavizadas son libradas de la potestad de Satanás (v. 18b).
   2. Almas condenadas son perdonadas (v. 18c).
   3. Almas empobrecidas son hechas herederas de Dios (v. 18d).

Sí, Dios nos ha salvado para que seamos sus siervos y testigos y, como tales, para enviarnos a cada uno en una misión de iluminación espiritual. "Ser enviado" no significa necesariamente ser enviado a lugares lejanos. Léase 1 Reyes 14:6. El viejo profeta Ahías era ciego. Estaba recluido en su propia casa. Pero cuando la esposa del rey entró en su presencia para preguntar sobre la sanidad de su hijito enfermo, Ahías le dijo: "*Yo he sido enviado* con malas noticias para ti". Quiere decir que Dios nos envía primero a los que están en nuestro derredor. Y si le obedecemos en este envío inicial, es seguro que ensanchará nuestra visión para que nos preocupemos por los que están fuera de nuestra propia localidad. Y si no nos envía a ir personalmente a ellos, nos impulsará a orar por su conversión y a contribuir liberalmente para su evangelización. Como Pablo, pues, no seamos rebeldes a la visión celestial.

Ilustración

* La manera en que Dios nos capacita para iluminar las tinieblas espirituales que nos rodean encuentra un paralelo en la historia azteca. Ese pueblo marcaba las estaciones del año mediante un sistema que consistía en la combinación de un calendario sagrado de 260 días con un calendario secular de 365 días. Los dos calendarios coincidían en sus respectivos días de año nuevo sólo al fin de cada 52 años del calendario secular. Creían que al fin de cualquier ciclo de 52 años, sus dioses bien podrían optar por destruir el mundo. Así era que al principiar los cinco días finales de cada ciclo, apagaban el fuego, tanto en los templos como en sus casas. Por cinco días en todo el imperio reinaban las tinieblas y el terror. Tenían una sola esperanza: creían que si durante la quinta noche llegaba al cenit del cielo el astro *Aldebarán* o la constelación llamada las *Pléyades,* eso sería la señal que prometía la continuación del mundo por 52 años más.

Al principiar esa noche final, sacerdotes aztecas subían "al cerro de la estrella" en el cual había un altar. Sobre ese altar colocaban, bien amarrado a un prisionero de guerra. Cuando *Aldebarán* o las *Pléyades* alcanzaba el cenit de la bóveda celeste con cuchillo de obsidiana abrían el pecho de la víctima involuntaria y le arrancaban el corazón. Después, cubriéndole de leños secos, le convertían en holocausto. Entonces, empuñando sendos trozos de pino resinoso, subían el cerro corredores de cada pueblo azteca. Encendían sus "ocotes" con el fuego que ardía en el pecho de la víctima en el altar y luego se esparcían como luciérnagas humanas por todo el imperio para prender luz en cada templo y hogar.[1]

Densas tinieblas espirituales cubren nuestro mundo actual. Mediante el materialismo, el secularismo, el egoísmo, religiones falsas y la más crasa inmoralidad, el diablo ha cegado a la mayoría de la humanidad. Pero Dios nos envía a este mundo entenebrecido para abrir sus ojos, "para que se conviertan de las tinieblas a la luz". ¿Cómo podremos hacerlo? Acerquémonos al "cerro del Calvario" donde el Hijo de Dios se ofreció voluntariamente para pagar el precio de nuestra redención. Renovemos ante él nuestro arrepentimiento y sometámonos de nuevo a su señorío. Entonces nuevamente nos llenará del Espíritu, y así seremos fructíferos en nuestra iluminadora misión.

---

[1]Estos datos fueron tomados de C. G. Valiant, *The Aztecs of Mexico* (Harmondsworth-Middlesex: Penguin Books [A Pelican Book], 1951), Págs. 186, 191, 195-196.

POR QUE NO DEBEMOS AVERGONZARNOS DEL EVANGELIO

Romanos 1:16

El diccionario define "vergüenza" como "turbación del ánimo causada por el miedo a la deshonra, al ridículo, etc."[1] Como tal, puede ser benéfica o dañina. Es benéfica cuando sirve de freno para impedir que hagamos mal. Esta es la razón porque llamamos "sinvergüenzas" a personas cuyo estilo de vida es reprobable. Un caso bíblico de vergüenza benéfica se dio cuando Esdras, antes de partir de Babilonia para Jerusalén, proclamó un ayuno "a fin de humillarnos en la presencia de nuestro Dios y pedirle un buen viaje". Explicó su actuación así: "Tuve vergüenza de pedir al rey una tropa de soldados y jinetes que nos defendiesen del enemigo en el camino, porque habíamos hablado al rey diciendo: 'La mano de nuestro Dios es para bien sobre todos los que le buscan, pero su poder y su furor están sobre todos los que le abandonan' " (Esd. 8:21, 22).

Pero demasiadas veces la vergüenza es dañina. Como tal se convierte en instrumento del diablo para callar nuestro testimonio. Por esto Pedro escribió: "Si alguno padece como cristiano, no se avergüence; mas bien, glorifique a Dios en este nombre" (1 Ped. 4:16). Y por la misma razón Pablo escribió a Timoteo: "No te avergüences de dar testimonio de nuestro Señor" (2 Tim. 1:8a). Pablo tenía autoridad para hacer tal exhortación porque practicaba lo que predicaba, como indica nuestro texto para esta ocasión.

Frente al poderío imperial de Roma, Pablo no se avergonzaba del evangelio porque comprendía la naturaleza de su poder. *Por la misma razón tampoco debemos nosotros avergonzarnos del evangelio.* ¿Cuáles, pues, son las características del poder del evangelio que deben impedir que nos avergoncemos de él?

I. Porque el evangelio es poder *divino*: es "poder *de Dios*" (v. 16a).

A. El evangelio tuvo su origen en el eterno propósito del *Padre*. Apocalipsis 14:6 indica que el evangelio es "eterno". Y según Tito 1:2, nuestra fe está "basada en la esperanza de la vida eterna, que el Dios que no miente prometió desde antes del comienzo del tiempo". (Hech. 15:17, 18; 1 Ped. 1:20; Apoc. 13:8).

B. El evangelio fue hecho una realidad histórica mediante la muerte y resurrección del *Hijo*. En 1 Corintios 15:1-4 Pablo dijo: "Os declaro el evangelio que os prediqué y que recibisteis y en el cual estáis firmes;... Porque... os he enseñado lo que también recibí: que Cristo murió por nuestros pecados, conforme a las Escrituras; que fue sepultado y que resucitó al tercer día conforme a las Escrituras; que apareció a Pedro y después a los doce. Luego apareció a más de quinientos hermanos a la vez, de los cuales muchos viven todavía; y otros ya duermen. Luego apareció a Jacobo, y después a todos los apóstoles. Y al último de todos, como a uno nacido fuera de tiempo, me apareció a mí también."

C. El evangelio es aplicado a nosotros mediante la convicción y conversión obradas por el *Espíritu Santo*.
   1. El Espíritu nos convence (redarguye) "de pecado, de justicia y de juicio" (Juan 16:8-11).
   2. El Espíritu nos convierte al señorío de Cristo (1 Cor. 12:3).

II. Porque el evangelio es poder *salvador*: es "poder de Dios *para salvación*" (v. 16b).

A. El evangelio es poder de Dios para salvar *de la condenación* del pecado (Juan 3:16-18; 5:24; Rom. 8:1).

B. El evangelio es poder de Dios para salvar *del dominio* del pecado (1 Cor. 10:13; 2 Cor. 2:14; Ef. 2:4-6).

C. El evangelio es poder de Dios para salvar de *la presencia* del pecado (Fil. 3:20, 21; Apoc. 21:27).

III. Porque el evangelio es poder *accesible*: es "poder de Dios para salvación *a todo aquel que cree, al judío primero y también al griego*" (v. 16c).

A. Los beneficios del evangelio se ofrecen a todos (Mat. 24:14; Hech. 1:8; Apoc. 5:8-10).
B. Las condiciones del evangelio están al alcance de todos (Mat. 11:25, 28; Apoc. 22:17).

Frente al mundo perdido que nos rodea el apóstol Pablo nos enseña que "Dios quiere que todos los hombres sean salvos y que lleguen al conocimiento de la verdad" (1 Tim. 2:4). Pero para que esto se realice tenemos que ir y "hacer discípulos de todas las naciones" (Mat. 28:19, 20). Y debemos empezar donde ahora nos encontremos. ¡No permitamos, pues, que el enemigo nos haga avergonzarnos del glorioso evangelio del Trino Dios!

Por tanto, si no se avergüenzan del divino poder del Evangelio para salvar de la condenación, del dominio y de la presencia del pecado a todos los que se arrepientan de sus pecados para creer en Jesucristo como su único y sólo suficiente Salvador, y si desean participar en la evangelización de nuestra propia comunidad durante la campaña de evangelización que se avecina, favor de indicarlo con levantar la mano o pasar al frente mientras cantamos el himno de invitación.

---

[1]Ramón García-Pelayo y Gross, *Pequeño Larousse Ilustrado*, Edición 1980.
[2]Gene Bartlett, "Haz arder mi alma", Núm. 288 *Himnario Bautista*. (Casa Bautista de Publicaciones).

LUCHANDO EN ORACION POR NUESTROS PASTORES Y MISIONEROS

Hay ciertas peticiones que todos los creyentes debemos hacer. Santiago dijo que debemos orar por los enfermos (5:16). El apóstol Pablo indicó que debemos orar por las autoridades civiles (1 Tim. 2:1-4). En dos ocasiones Jesús mismo nos ordenó orar "al Señor de la mies" para que enviara obreros a su mies (Mat. 9:35-38; Luc. 10:2). Y en Romanos 15:30 Pablo pidió a sus hermanos que "lucharan" juntamente con él delante de Dios en oración. Luego, en varios pasajes especificó qué era lo que deseaba que pidieran por él. *En los pasajes que consignan aquellas súplicas descubrimos seis peticiones que debemos hacer para todos los que Dios ha llamado a servirle como pastores o misioneros.* ¿Cuáles son estas seis peticiones?

I. La petición por *protección:*

"Por lo demás, hermanos, orad por nosotros para que ... seamos librados de hombres perversos y malos; porque no es de todos la fe" (2 Tes. 3:1, 2; véase también Rom. 15:31a). Pablo no hacía esta súplica por tener miedo a la muerte, sino porque comprendía que un misionero muerto ya no puede ganar almas para Cristo ni edificar a las iglesias.

II. La petición por *aceptación*:

"Pero os ruego, hermanos, por nuestro Señor Jesucristo y por el amor del Espíritu, que luchéis en oración por mí delante de Dios; para que... mi servicio a Jerusalén sea del agrado de los santos" (Rom. 15:30, 31b). Para tener un ministerio fructífero, todo pastor o misionero necesita contar con el apoyo de los creyentes entre los cuales trabaja. Si ellos no le apoyan, difícilmente podrá hacer un impacto positivo sobre los inconversos del lugar.

III. La petición por *puertas abiertas*:

"Perseverad siempre en oración, vigilando en ella con acción de gracias. A la vez, orad también por nosotros, a fin de que el Señor nos abra una puerta para la palabra" (Col. 4:2, 3).*

IV. La petición por *confianza*, o sea valor:

"Y también orad por mí, para que al abrir mi boca me sean conferidas palabras para dar a conocer con confianza (sin temor, BA) el misterio del evangelio, por el cual soy embajador en cadenas; a fin de que por ello yo hable con valentía, como debo hablar" (Ef. 6:19, 20). Podrá parecernos raro que un hombre de la talla de Pablo desconfiara de su propia valentía, pero así fue. Y si él necesitaba el apoyo de las intercesiones de sus hermanos para no tener miedo, ¡con cuánta más razón lo necesitamos nosotros y nuestros compañeros en el ministerio!

V. La petición por *habilidad para expresarse con claridad*:

"Orad para que yo lo presente [el mensaje de Cristo] con claridad, como me es preciso hablar" (Col. 4:4). Esto requiere la presentación de explicaciones e ilustraciones apropiadas, así como el empleo de un vocabulario que sea inteligible para los oyentes.** Esta petición se hace especialmente urgente al tratarse de misioneros que sirven entre gente que habla un idioma distinto del suyo.

VI. La petición por *fruto*:

"Por lo demás, hermanos, orad por nosotros para que la palabra del Señor se difunda rápidamente y sea glorificada, así como sucedió entre vosotros" (2 Tes. 3:1; Hech. 17:1-4; 1 Tes. 1:2-10). ¡Cuánto se angustia un pastor o misionero cuando parece que sus esfuerzos son estériles!

El hecho de que cada una de estas seis peticiones está respaldada por un claro mandamiento bíblico nos asegura de que están en completa conformidad con la voluntad de Dios. "Y esta es la confianza que tenemos delante de él: que si pedimos algo conforme a su voluntad, él nos oye. Y si sabemos que él nos oye en cualquier cosa que pidamos, sabemos que tenemos las peticiones que le hayamos hecho" (1 Jn. 5:14, 15). Presentémoslas pues al Padre celestial en favor de todos los pastores y misioneros que conocemos.

A la vez, debemos recordar que existe una importante distinción entre el ministerio de Pablo y el de la mayoría de los pastores y misioneros actuales. Pablo era soltero o viudo. No tenía que preocuparse por una familia. Pocos de los pastores y misioneros que usted y yo conocemos se encuentran en semejante condición. Muchos tienen esposa e hijos. Sus familias son importantes, y a menudo pasan por pruebas difíciles. Debemos orar por ellas: por su salud, por su estabilidad emocional y espiritual, por su decoroso sostén económico, por la preparación intelectual y profesional de sus hijos y por la formación de hogares cristianos cuando los hijos se casen. Si así lo hacemos, Dios les bendecirá a ellos y a nosotros también.

Ilustraciones

* Pablo aprendió la necesidad de entrar por las puertas que le abría Dios mediante dos experiencias tenidas en el principio de su carrera misionera. Cuando regresó por primera vez a Jerusalén después de su experiencia en el camino a Damasco, parece que pensaba que al dar testimonio de su conversión en las sinagogas de Jerusalén *tenía que* producirse un despertar espiritual. Pero todo lo que se produjo fue un intento de matarlo (Hech. 9:26-30). Y los hermanos tuvieron que despacharlo a su ciudad natal de Tarso (Hech. 9:26-30). Allí estuvo por algún tiempo. Pero cuando el Espíritu de Dios guió a un grupo de creyentes a salir de Jerusalén e ir hasta Antioquía de Siria y "hablar a los griegos, anunciándoles las buenas nuevas de que Jesús es el Señor, ... un gran número creyó y se convirtió al Señor." Y cuando la iglesia de Jerusalén despachó a Bernabé para ir a ver lo que estaba pasando allí, éste, después de regocijarse en la portentosa obra que se estaba efectuando, "partió a Tarso a buscar a Saulo, y cuando le encontró, le llevó a Antioquía. Y sucedió que se reunieron todo un año con la iglesia y enseñaron a mucha gente. Y los discípulos fueron llamados cristianos por primera vez en Antioquía" (Hech. 11:19-26).

Así fue como Pablo aprendió la diferencia entre dar cabezazos contra una pared de piedra y pasar obedientemente por una puerta que le abría el Señor.

**Bien se ha dicho que algunos predicadores parecen haber malentendido lo que Cristo dijo a Pedro en Juan 21:17. Por su vocabulario altisonante y sus vuelos filosóficos, parecen creer que en vez de "Apacienta mis ovejas", dijo: "Apacienta mis jirafas".

COMO VENCER NUESTRAS TENTACIONES
1 Corintios 10:1-14

La tentación es un arma potente del diablo. La empleó con tanta efectividad contra nuestros primeros padres (Gén. 3:1-7) que a través de los siglos ha seguido empleándola. De interés particular para el apóstol Pablo fueron las múltiples tentaciones que sufrió el pueblo de Israel después de su rescate de la esclavitud egipcia, y de ellas escribió en 1 Corintios 10:1-14.

Este pasaje se compone de tres secciones. Los versículos 1 al 5 contrastan los privilegios que gozaba Israel en su liberación de la esclavitud con la postración en el desierto que sobrevino a la mayoría de ellos por causa de sus pecados. Los versículos 6 al 10 especifican cuáles fueron los pecados que Israel cometió, y exhortan a los creyentes corintios a abstenerse de ellos. *Y los versículos 11 al 14 indican cómo todo hijo de Dios puede vencer sus propias tentaciones.* ¿Qué, pues, es lo que necesitamos hacer para vencer nuestras tentaciones?

I. Necesitamos desconfiar de nosotros mismos: "El que piensa estar firme, mire que no caiga" (v. 12).

A. Abundan las amonestaciones bíblicas en contra del peligro de confiar en nosotros mismos. "Antes de la quiebra está *el orgullo*; y antes de la caída, *la altivez de espíritu*" (Prov. 16:18). "Cuando viene *la soberbia*, viene también la deshonra" (Prov. 11:2). Del Rey Nabucodonosor, Daniel dijo: "Cuando su corazón *se enalteció* y su espíritu se endureció *con arrogancia*, fue depuesto de su trono real, y su majestad le fue quitada" (Dan. 5:20). Y del pueblo de Sodoma, Ezequiel dijo: "He aquí, esta fue la iniquidad de... Sodoma: *orgullo*, abundancia de pan y despreocupada tranquilidad tuvieron ella y sus hijas... Ellas *se enaltecieron* e hicieron abominación delante de mí..." (Eze. 16:49, 50). Y todos sabemos cómo *la desmedida confianza en sí mismo* del apóstol Pedro contribuyó a su vergonzosa negación del Maestro (Mat. 26:33-35).

B. Sigamos, pues, el ejemplo del salmista, y digamos: "No confiaré en mi arco, ni mi espada me librará" (Sal. 44:6). Pero si no hemos de confiar en nosotros mismos, ¿en quién debemos confiar?

II. Necesitamos confiar en la fidelidad de Dios para cumplir las dos promesas dadas en el versículo 13 de nuestro texto.

A. Dios promete que no permitirá que el diablo nos ponga delante ninguna tentación que no podamos vencer. "Fiel es Dios, quien no os dejará ser tentados más de lo que podéis soportar" (v. 13a). David dijo: "Como el padre se compadece de los hijos, así se compadece Jehovah de los que le temen. Porque él conoce nuestra condición; se acuerda de que somos polvo" (Sal. 103:13, 14). En su amor, pues, nuestro Padre celestial limita la actividad tentadora del enemigo. No le permitirá ponernos delante ninguna tentación que nos sería imposible resistir.

B. Pero además de limitar la acción tentadora del diablo, Dios también nos promete que, juntamente con cada tentación permitida, "dará la salida, para que la podáis resistir" (v. 13b).

C. ¿Qué más podríamos pedir? Si Dios impide que el tentador nos ataque con armas que no podamos resistir, y si a la vez abre para nosotros una salida que nos permite alejarnos de sus embestidas, el problema está resuelto, ¿no? ¡No!

III. Necesitamos hacer cuanto esté de nuestra propia parte para evitar situaciones comprometedoras: "Por tanto, amados míos, huid de la idolatría" (v. 14).

A. Una cosa es vernos envueltos de repente en peligros inesperados. Pero cosa totalmente distinta es exponernos adrede a peligros conocidos. Uno de los serios problemas que afrontaban los creyentes corintios era la tentación de participar en actos inmorales e idolátricos relacionados con las fiestas religiosas de sus vecinos paganos. Por eso fue que el apóstol les ordenó huir de aquel contacto con la idolatría.

B. Somos diferentes. Cada uno de nosotros tiene sus propias debilidades. Lo que sería una tentación para mí, bien podría no serlo para usted. Pero conociéndonos a nosotros mismos, necesitamos hacer cuanto podamos para prevenir posibles derrotas espirituales.

C. En esto el joven José nos da el ejemplo a seguir. Cuando la mujer de Potifar "le agarró por su manto, diciendo: 'Acuéstate conmigo', él "dejó su manto en las manos de ella, se escapó y salió afuera" (Gén. 39:12). Su actuación le acarreó calumnia y prisión, pero le salvó de pecar contra Dios. ¡Y el Señor le premió con creces!

Santiago, el hermano de Jesús, dijo: "Bienaventurado el hombre que persevera bajo la prueba; porque cuando haya sido probado, recibirá la corona de vida que Dios ha prometido a los que le aman" (Stg. 1:12). Las mismas tentaciones que el diablo emplea como piedras de tropiezo para arruinarnos, Dios las convertirá en peldaños de ascenso para bendecirnos si seguimos las indicaciones de nuestro texto. Hagamos, pues, lo que podamos para evitar situaciones comprometedoras. Desconfiemos de nosotros mismos. Y confiemos en que Dios no sólo impedirá que Satanás nos ponga delante ninguna tentación que no podamos rechazar, sino que con cada tentación permitida nos dará la salida para que seamos vencedores.

Si estamos dispuestos a hacerlo así, indiquémoslo mientras cantamos el Himno *Victoria en Cristo.*[1]

---

[1]E. M. Bartlett, Tr. H. T. Reza, "Victoria en Cristo", Núm. 466 *Himnario Bautista.* Casa Bautista de Publicaciones.

LOS DONES ESPIRITUALES
1 Pedro 4:10, 11

Cuando Moisés y Aarón pidieron permiso para que los israelitas fueran al desierto para celebrar una fiesta a Jehovah, el Faraón no sólo negó la petición, sino que dijo a sus capataces: "Ya no daréis paja al pueblo para hacer los adobes, como hacíais antes. ¡Que vayan ellos y recojan por sí mismos la paja! Sin embargo, les impondréis la misma cantidad de adobes que hacían antes" (Exo. 5:7, 8). Así suelen ser maltratados los siervos de un tirano. ¡Pero no así los siervos de nuestro Padre celestial!

Cuando Dios asigna un ministerio a uno de sus hijos, siempre le confiere el don espiritual que le hace apto para desempeñarlo. A esto se refería el apóstol Pedro en 1 Pedro 4:10, 11. *Este breve pasaje enseña tres cosas respecto a los dones espirituales.* ¿Cuáles son?

I. Cada creyente ha recibido algún don espiritual: "*Cada uno ponga al servicio de los demás el don que ha recibido...*" (v. 10a).

A. A diferencia de Hech. 6:1, en esta "distribución" ningún creyente ha sido "desatendido". Más bien, como afirma 1 Corintios 12:7a, "*a cada cual* le es dada la manifestación del Espíritu..."

B. Además, esta distribución es hecha de acuerdo con la voluntad de Dios, y no según el antojo nuestro. En 1 Corintios 12:4a Pablo indica que "hay diversidad de dones", y que el Espíritu los reparte "a cada uno en particular *como él designa*" (v. 11). Nosotros no escogemos nuestro don. Nos lo asigna Dios.

II. Este pasaje enseña que hemos recibido nuestros respectivos dones espirituales con un doble propósito (vv. 10a, 11b).

A. Los hemos recibido para poder servir a otros (v. 10a): "Cada uno *ponga al servicio de los demás* el don que ha recibido..." Y 1 Corintios 12:7 dice, "A cada cual le es dada la manifestación del Espíritu *para provecho mutuo*", o como traduce VHA, "*para el bien general*". En esto nos hemos de parecer a nuestro Salvador quien "tampoco vino para ser servido, sino para servir y para dar su vida en rescate por muchos" (Mar. 10:45).

B. Los hemos recibido también para poder glorificar a Dios (v. 11b): "...para que en todas las cosas *Dios sea glorificado por medio de Jesucristo*, a quien pertenecen la gloria y el dominio por los siglos de los siglos. Amén."

1. Pero para que este propósito se realice, tenemos que hacer muy nuestra la convicción que le movió a Pablo a decir: "Pues, ¿quién te concede alguna distinción? ¿Qué tienes que no hayas recibido?

Y si lo recibiste, ¿por qué te jactas como si no lo hubieras recibido?" (1 Cor. 4:7).

2. También tenemos que hacer nuestra la oración del Salmo 115:1: "No a nosotros, oh Jehovah, no a nosotros, sino a tu nombre da gloria por tu misericordia y tu verdad."

III. Finalmente, en todo lo que respecta a los dones espirituales, debemos actuar "como buenos administradores (mayordomos) de la multiforme gracia de Dios" (v. 10b).

A. Esto exige que *deseemos* los dones cuyo ejercicio beneficia a otros. Pablo corrigió el concepto equivocado de algunos en la iglesia de Corinto que ponían énfasis especial en el don de lenguas. Ese don, decía, era inferior al don de profecía porque "el que habla en una lengua se edifica a sí mismo, mientras que el que profetiza edifica a la iglesia". Su conclusión fue: "Puesto que anheláis los dones espirituales, procurad abundar en ellos *para la edificación de la iglesia*" (1 Cor. 14:4, 12).

B. Esto exige que *descubramos* nuestros respectivos dones. Para lograr tal descubrimiento, hagamos lo siguiente:

1. Identifiquemos los dones que el Nuevo Testamento menciona. Son más de veinte. Los pasajes que los nombran son: Romanos 12:6-8; 1 Corintios 7:1-7; 12:1-30; Efesios 4:11 y 1 Pedro 4:9.
2. Preguntémonos si alguno de estos dones parece relacionarse con algún talento nuestro, o si nos sentimos atraídos hacia el servicio que corresponda a alguno de ellos.
3. Pidamos a Dios sabiduría de acuerdo con Santiago 1:5-8.
4. Pidamos consejo a hermanos de madurez espiritual que nos conozcan bien.
5. Experimentemos. Por ejemplo, si usted piensa que tiene el don de la enseñanza, ofrezca servir como maestro en una Escuela Bíblica de Vacaciones o en alguna misión de su iglesia. Si con oración y estudio se prepara lo mejor posible y descubre que se goza en la tarea y que Dios usa sus esfuerzos para bendecir a otros, es probable que haya descubierto su don. Pero si después de varios intentos el esfuerzo le resulta una carga de la cual ni usted ni otros parecen recibir ningún beneficio, lo más probable es que su don está en otro campo de servicio.

C. Esto exige que una vez que hayamos descubierto nuestro don, lo *dediquemos* al Señor. En esto nos puede servir la plegaria de Salomón: "Pues todo es tuyo, y de lo recibido de tu mano te damos" (1 Crón. 29:14b, RVR, 1960).

D. Y, finalmente, esto exige que *desarrollemos* nuestro don en el ministerio para el cual nos hace apto. Como dijo Cristo: "Si sabéis estas cosas, bienaventurados sois si las hacéis" (Juan 13:7).

Nuestro amante Salvador sigue diciendo, "Venid en pos de mí, y os haré pescadores de hombres" (Mat. 4:19). Si están dispuestos a entregarse al servicio de él de acuerdo con el don o los dones que él les haya dado, y si desean ser adiestrados para el servicio para el cual sus respectivos dones les hagan potencialmente aptos, favor de manifestarlo con pasar al frente mientras cantamos el himno ¿Qué te daré maestro?[1]

---

[1]Homer W. Grimes, "¿Qué te daré maestro?", Núm. 516 *Himnario Bautista*. Casa Bautista de Publicaciones.

EL DON INEFABLE

2 Corintios 9:15

Les invito a meditar conmigo en uno de los versículos más breves, pero a la vez más profundos, de todo el Nuevo Testamento. Me refiero a 2 Corintios 9:15 que dice: "¡Gracias a Dios por su don inefable!" El diccionario define *inefable* como algo "que no se puede explicar con palabras". Por esto La Versión Popular traduce así: "¡Gracias a Dios, porque nos ha dado algo tan grande que no podemos explicarlo!"

En todas las ramas del saber humano existen especialistas que saben explicar asuntos relacionados con sus respectivos campos de labor. Un químico puede explicar cómo el alimento que ingerimos se convierte en energía y crecimiento corporales. Un mecánico puede explicar el funcionamiento de un motor. Un ingeniero agrónomo puede explicar cómo lograr cosechas mejores. Y un sicólogo puede explicar nuestra manera de reaccionar frente a distintas circunstancias. Pero, ¿qué será aquello que nadie puede explicar? Hay una sola respuesta. ¡Sólo Dios es tan grande que nadie lo puede explicar! *En nuestro texto, pues, Pablo da gracias porque Dios se ha dado a sí mismo.* ¿De qué maneras ha hecho esto y con qué propósitos?

I. Dios se ha dado a sí mismo en la persona de su Hijo.

A. Dios se dio a sí mismo con el propósito de *revelación* (Juan 1:18; 14:8, 9; 17:6a).
   1. En la persona de su Hijo Dios reveló su preocupación por los *niñitos* (Mat. 19:13-15).
   2. En la persona de su Hijo Dios reveló su compasión por *los dolientes* (Luc. 7:11-15).
   3. En la persona de su Hijo Dios reveló su repudio de *toda discriminación racial* (Luc. 9:51-56).
   4. En la persona de su Hijo Dios reveló la grandeza de su amor por *todo pecador* (Juan 3:16).

B. Dios se dio a sí mismo con el propósito de *redención* (Mar. 10:45; Ef. 1:7; Col. 1:13, 14).
   1. Al sanar a los leprosos, Jesús demostró que Dios ofrece redención de *la contaminación* del pecado (Lev. 13:45).
   2. Al sanar a los sordos, los cojos y los paralíticos, Jesús demostró que Dios ofrece redención de *las limitaciones* del pecado.
   3. Al expulsar a los demonios, Jesús demostró que Dios ofrece redención de *la esclavitud* del pecado.
   4. Al levantar a los muertos, Jesús demostró que Dios ofrece redención del *eterno castigo* del pecado.

II. Dios sigue dándose a sí mismo en la persona de su Espíritu.

A. En la persona de su Espíritu Dios sigue dándose a sí mismo con el propósito de *convencer al mundo* "de pecado, de justicia y de juicio" (Juan 16:8).
   1. El Espíritu convence al mundo "en cuanto a pecado, porque no creen en mí" (Juan 16:9). El no creer en Cristo no es el único pecado que los humanos cometemos. Pero puesto que fuera de Cristo no hay salvación (Hech. 4:12), al no creer en él nos privamos de toda posibilidad de ser salvos (Juan 3:18).
   2. El Espíritu convence al mundo "en cuanto a justicia", agregó Jesús, "porque voy al Padre, y no me veréis más" (Juan 16:10). Pablo dijo que "Cristo Jesús... fue declarado Hijo de Dios con poder según el Espíritu de santidad por su resurrección de entre los muertos" (Rom. 1:4). Por la resurrección Dios dio testimonio que su Hijo era "justo". En nuestro orgullo nosotros nos creemos justos también. Pero al poner delante de nosotros la perfecta justicia de Cristo, el Espíritu nos convence de lo lejos que nos quedamos de la justicia que Dios demanda. La justicia perfecta de Cristo hace resaltar la injusticia nuestra.
   3. Por último, el Espíritu convence al mundo "en cuanto a juicio, porque el príncipe de este mundo ha sido juzgado" (Juan 16:11). Todos los que rehúsan creer en Jesús como su Señor y Salvador se condenan a sí mismos a compartir la condenación de Satanás (Juan 3:18).

B. Dios se nos da a sí mismo en la persona de su Espíritu para hacernos sus hijos (Gál. 4:6).
   1. Pablo describe esto como "adopción" (Rom. 8:15). Esto es el aspecto "legal" de nuestra categoría como "hijos de Dios".
   2. Cristo describe esto como "nacer de nuevo" o "nacer de arriba" (Juan 3:7, 8). Esto es el aspecto "vital" de nuestra categoría como "hijos de Dios".

C. Dios se nos da a sí mismo en la persona de su Espíritu para garantizarnos su continua ayuda en toda circunstancia de la vida diaria (Rom. 8:26a). El comentario que hace H. E. Dana sobre este versículo es por demás iluminador.

"La palabra que aquí se traduce *ayuda* es vívidamente significativa. Está compuesta de tres palabras griegas: dos preposiciones y la raíz de un verbo. Una de las preposiciones significa *con*, otra significa *por el otro extremo*, y el verbo significa *agarrar* —*agarrar por el otro extremo con*. Entonces el pasaje literalmente significa: "El Espíritu Santo agarra por el otro extremo con nosotros por causa de nuestras debilidades." A medida que proseguimos en los tortuosos caminos de la vida y las cargas se hacen demasiado pesadas para sobrellevarlas, si estamos en la debida relación con la voluntad de Dios, nos vendrá en medio de nuestras luchas un sentido bendito de descanso tan real y tan vívido que tendremos el gozo profundo de estar contemplando cara a cara el rostro sonriente y compasivo de nuestro divino Señor el cual, mediante el ministerio del Espíritu Santo, agarra nuestra carga por el otro extremo con nosotros."[1]

Dios le ofrece ahora mismo su "inefable don". ¿Lo aceptará? Si es así, pase al frente mientras cantamos el himno de invitación.

---

[1]H. E. Dana, *The Holy Spirit in Acts* (Kansas City: Central Seminary Press, 1943), Págs. 77, 78.

VENCIENDO LA TENTACION AL DESALIENTO

Efesios 1:3-14

El 8 de mayo de 1830, después de veinte años de lucha armada en que logró la independencia política de Venezuela, Colombia, Ecuador, Perú y Bolivia, Simón Bolívar salió de Bogotá con la intención de exiliarse en Europa. Iba gravemente enfermo. Iba también profundamente desalentado por el fracaso de sus esfuerzos por unificar aquel vasto territorio liberado en una sola república: "La Gran Colombia". Su viaje terminó en el puerto de Santa Marta, donde falleció el 17 de diciembre. Poco antes de morirse dijo: "América es ingobernable. Los que servimos a la Revolución hemos arado en el mar."[1]

También Pablo tuvo motivos para desalentarse. Sus esfuerzos por estrechar los lazos de fraternidad entre creyentes hebreos y gentiles culminaron en una violenta encarcelación que fue cínicamente alargada por la venalidad de un oficial corrupto (Hech. 24:27). En su viaje a Roma sufrió naufragio, fue mordido por una serpiente venenosa, y pasó un invierno incómodo entre gente extraña. Y en Roma sus esperanzas de libertad peligraban ante la caprichosa locura de Nerón. Mientras tanto, hermanos malintencionados procuraban "añadir aflicción a sus prisiones" predicando a Cristo "por envidia y contienda" (Fil. 1:15, 16). Y maestros heréticos recorrían la Provincia de Asia, procurando subvertir la fe de las iglesias mediante "filosofías y vanas sutilezas, conforme a la tradición de hombres, conforme a los rudimentos del mundo, y no conforme a Cristo" (Col. 2:8).

Pero Pablo venció la tentación al desaliento con alabar y dar gracias a Dios por las bendiciones espirituales que eran suyas en Cristo. ¿Cuáles son las bendiciones que Pablo especifica en este pasaje?

I. La bendición de la elección (vv. 4-6).

A. El misterio de la elección.
1. La Biblia enseña dos cosas que *parecen ser* contradictorias: (1) el hecho de nuestra libertad para elegir (Deut. 30:19); y (2) el hecho de nuestra previa elección por Dios (Juan 15:16a; 2 Tes. 2:13).
2. Bien se ha dicho que antes de nuestra conversión vimos escrito sobre el exterior de la entrada al camino estrecho: "El que quiere, tome del agua de la vida gratuitamente" (Apoc. 22:17b). Pero al entrar miramos hacia atrás y vimos escrito sobre el interior de la entrada: "Nos escogió en él antes de la fundación del mundo" (Ef. 1:4a).
3. Aunque nuestros intelectos no sean capaces de armonizar estos dos conceptos, estemos seguros de que están plenamente armonizados en la mente de Dios. Postrémonos, pues, ante él y exclamemos con Pablo: "¡Oh la profundidad de las riquezas, y de la sabiduría y del conocimiento de Dios! ¡Cuán incomprensibles son sus juicios, e inescrutables sus caminos!" (Rom. 11:33).

B. Lo que sabemos acerca de la elección.
1. Su tiempo: "antes de la fundación del mundo" (v. 4).
2. Su método: "nos escogió en él" (Cristo) (v. 4).
3. Su propósito: (1) nuestra santidad (v. 4b); (2) nuestra amorosa adopción como hijos de Dios (v. 5); y (3) nuestra alabanza de la gloria de la gracia de Dios (v. 6).

II. La bendición de la redención (vv. 7-12).

A. El costo de la redención: la muerte de Jesús (v. 7a; 1 Ped. 1:18, 19).

B. El producto de la redención:
1. El perdón de nuestras transgresiones (v. 7b).
2. Comprensión del propósito cósmico de Dios "que en Cristo sean reunidas bajo una cabeza todas las cosas, tanto las que están en los cielos como las que están en la tierra" (vv. 8-10).
3. La distinción de ser hechos "la porción" (VHA) o "herencia" (BA en nota marginal) de Dios (v. 11). El Antiguo Testamento designaba a Israel como "heredad de Dios" (Deut. 4:20; 9:26, 29; Sal. 33:12; 74:2). Pero el Nuevo Testamento enseña que esta distinción ahora pertenece al pueblo cristiano (Fil. 3:3; Tito 2:14; 1 Ped. 2:9, 10).
4. La glorificación de Dios mediante nuestras alabanzas (v. 12).

III. La bendición de la seguridad (vv. 13, 14).

A. La descripción de esta seguridad.
  1. Fuimos "sellados con el Espíritu Santo que había sido prometido" (v. 13). En la antigüedad los sellos servían como identificación del propietario, como garantía de calidad y como promesa de protección. El Espíritu Santo desempeña estos mismos papeles en la vida del creyente. Nos identifica como cristianos (Rom. 8:9). Nos capacita para vivir como tales (Gál. 5:22, 23). Y garantiza nuestra feliz llegada a las mansiones celestiales (Ef. 4:30).
  2. El Espíritu recibido es también "la garantía de nuestra herencia para la redención de lo adquirido" (v. 14). Dios nos da su Espíritu como anticipo en garantía de que "cumplirá su propósito" en cada uno de los suyos (Sal. 138:8; Juan 15:2; Rom. 5:10; 8:28, 29).

B. Las condiciones de esta seguridad.
  1. Oír "la palabra de verdad, el evangelio de vuestra salvación" (v. 13a).
  2. Creer en Cristo (v. 13b). (Rom. 10:13-15).

C. El fruto de esta seguridad debe ser nuestra continua alabanza de la gloria de Dios (v. 14b). (Rom. 8:31, 32).

¡Afuera, pues, con el desaliento! ¡Afuera también con la pereza! ¡Alegrémonos en las bendiciones espirituales que tenemos en Cristo, y compartámoslas con el mundo entero! En palabras del himnólogo: "Cuando combatido por la adversidad creas ya perdida tu felicidad, mira lo que el cielo para ti guardó, cuenta las riquezas que el Señor te dio.[2]

---

[1]Hubert Herring, *A History of Latin America* (New York: Alfred A. Knopf, 1961), Pág. 286. Traducción del autor.

[2]Johnson Oatman, "Cuando combatido por la adversidad", Núm. 236 *Himnario Bautista*. (Casa Bautista de Publicaciones).

NUESTRO MAL Y SU REMEDIO

Efesios 2:1-10

Es bien sabido que en el ejercicio de su profesión, los médicos siguen un orden inalterable. Primero examinan al paciente para determinar por los síntomas la identidad de su mal. Luego, sobre la base del diagnóstico, le recetan el medicamento o la terapia que estimen más indicado para restaurarle la salud. *En el texto bíblico que nos ocupa en esta ocasión el apóstol Pablo actúa de la misma manera, haciendo primero un diagnóstico certero de la condición espiritual humana para describir después el eficaz remedio que Dios ha provisto para sanarnos.* ¿Cuál es el diagnóstico que hace Pablo de nuestra condición espiritual, y cómo describe el eficaz remedio que Dios ha provisto para remediarla?

I. El diagnóstico de nuestra condición espiritual (vv. 1-3).

A. Estamos "muertos en delitos y pecados" (v. 1).
   1. "Delitos" son transgresiones o rebeliones en contra de la Ley de Dios. "Pecados" son insuficiencias o fracasos en nuestros esfuerzos por cumplir su Ley. Juntos los dos términos abarcan la totalidad tanto de las maldades que hemos hecho como de las bondades que hemos dejado de hacer. Y todos somos culpables (Ecl. 7:20; Rom. 3:9; 5:12).
   2. Por causa de nuestros "delitos y pecados" estamos "muertos" porque nos han separado de Dios (Rom. 3:23; Sal. 73:27; Isa. 59:2). El nombre personal de Dios es "Jehovah" (Exo. 3:14). Significa "YO SOY". Quiere decir que Dios *es* vida en sí mismo y *fuente* de toda vida. Entonces la separación de Dios significa muerte espiritual.

B. Somos cautivos del mundo, de la carne y del diablo (vv. 2, 3a).
   1. Somos cautivos de "la corriente de este mundo" (v. 2a; Stg. 4:4). Dejarnos llevar por esta corriente es fatal.*
   2. Somos cautivos de "los deseos de nuestra carne, haciendo la voluntad de la carne y de los pensamientos" (v. 3a; Rom. 8:6-8).
   3. Somos cautivos del "príncipe de la potestad del aire" (v. 2b; 2 Tim. 2:26). Ese maligno personaje manipula tanto "la corriente del mundo" como "los deseos de la carne" para agravar y prolongar nuestro cautiverio.

C. Estamos condenados a sufrir la ira de Dios (v. 3c).
   1. Somos "hijos de ira". "Dios está airado contra el impío todos los días" (Sal. 7:11b, RVR, 1977). Está airado contra el pecado porque éste le ha separado del supremo objeto de su amor (el hombre).
   2. Por tanto, si seguimos abrazados de nuestro pecado, nos condenamos a nosotros mismos a sufrir la muerte eterna (Rom. 6:23a).

II. El remedio eficaz que Dios ha provisto para sanar nuestro mal (vv. 4-10).

A. Es un remedio de amor (v. 4). (Juan 3:16; Rom. 5:8; Apoc. 1:5b).

B. Es un remedio de poder (vv. 5, 6).
   1. Nos resucita de la muerte espiritual (vv. 5, 6a; Juan 11:25).
   2. Nos entroniza "en los lugares celestiales con Cristo" para que vivamos triunfantes sobre toda tentación (1 Cor. 10:13).

C. Es un remedio de gracia (vv. 5b, 7-10). No es un premio. Es una dádiva. Y precisamente por esto, constituye un poderoso motivo para dedicarnos a buenas obras.**

Observe, amigo que me escucha, que este remedio de amor, de poder y de gracia se halla solamente "en Cristo" (vv. 7b, 10a). No se encuentra en nadie más (Hech. 4:12; Juan 14:6). Y este Cristo le está diciendo: "He aquí, yo estoy a la puerta y llamo; si alguno oye mi voz y abre la puerta, entraré a él, y cenaré con él, y él conmigo" (Apoc. 3:20). Le rogamos, pues, que escuche y haga suyas las palabras del himnólogo:

Alguien está a mi puerta, paciente quiere entrar;
quiere morar en mi alma, todo mi ser salvar.
De mis pecados tan negros, ¿Quién me libertará?
El que se encuentra a mi puerta, solo me salvará.
Mi corazón yo te abro. Entra, oh Salvador;
mora en mi ser para siempre; sé tú mi Rey, Señor.[1]

Ilustraciones

* En el corazón de la ciudad de Uruapan, Michoacán, México, brota como impetuoso manantial de heladas aguas cristalinas el río Cupatitzio. A pocos kilómetros de la ciudad atraviesa un parque nacional, un pintoresco lugar que los indios Tarascos llamaron "La Tzaráracua", o sea, "El Cedazo". En los terrenos del parque, el río pasa rápidamente por tres vistosas cataratas. En cierta ocasión una familia de la ciudad hizo un día de campo en La Tzaráracua. Al llegar la hora para regresar a casa, la mamá despachó a una de sus niñas a la orilla del río para limpiar la loza. Agachada en la orilla, la niña emprendió la tarea. Pero en el proceso mojó el piso, y se resbaló dentro de la corriente. Sus padres escucharon los gritos angustiosos de su hijita, y corrieron a la orilla. Pero sólo para ver su cuerpecito pasar por la cresta de la primera catarata. La corriente le llevó a su muerte. ¡Así de fatal es la corriente de este mundo!

**Cuando Abraham Lincoln lanzó su candidatura para la Presidencia de los EE.UU. de A., tenía un acérrimo enemigo político apellidado "Stanton". Ese señor hizo todo lo que podía para evitar que Lincoln fuese elegido. Y cuando fracasó en su intento, inició una campaña de difamación para desacreditarlo y estorbar su administración. Había estallado la Guerra Civil, y los ejércitos del Sur estaban ganando casi todas las batallas. Varios de los generales del Norte resultaron ineptos, así como el mismo Secretario de Defensa Nacional. Lincoln despidió a ese funcionario e invitó a Stanton —su peor enemigo— a tomar el puesto. El hombre aceptó. Y la historia revela que nadie en el gobierno de Lincoln le apoyaba con tanta abnegación y eficacia como Stanton. ¿Qué fue lo que transformó a ese amargado enemigo en tan fiel colaborador? ¡Fue la gracia del Presidente Lincoln! Dios siempre ha comprendido el poder transformador de un favor inmerecido. Por esto no nos vende la salvación. Nos la regala.

---

[1]Mary B. C. Slade, "Alguien está a mi puerta", Núm. 203 *Himnario Bautista* (Casa Bautista de Publicaciones).

LA SUPREMA OBLIGACION DE TODO CREYENTE

Efesios 5:18b

La epístola de Pablo a los Efesios se divide en dos secciones. Los capítulos uno al tres exponen diversos aspectos de la gracia salvadora de Dios, y los capítulos cuatro al seis señalan distintas obligaciones que esta gracia impone sobre sus beneficiarios. Algunas de estas obligaciones son de índole general, como: "Os exhorto a que andéis como es digno del llamamiento con que fuisteis llamados..." (4:1b); "Esto digo e insisto en el Señor: que no os conduzcáis más como se conducen los gentiles..." (4:17); y "Mirad, pues, con cuidado, cómo os comportáis; no como imprudentes sino como prudentes..." (5:15). Pero dentro de sus respectivos contextos, cada obligación general se divide en una serie de obligaciones particulares.

Entre todas aquellas obligaciones particulares hay una que merece ser llamada la suprema obligación de todo creyente, a saber: "Sed llenos del Espíritu" (Ef. 5:18b).[1] Respecto a esta obligación vamos a hacer y contestar tres preguntas.

I. ¿Qué significa ser "llenos del Espíritu"?

A. Para contestar esta pregunta necesitamos comprender que el Espíritu no es ni un líquido ni un gas, y que tampoco somos nosotros simples receptáculos físicos. El Espíritu Santo es persona divina y nosotros somos personas humanas. "Sed llenos del Espíritu", entonces, es una figura de lenguaje que significa "sed gobernados por el Espíritu".

B. También necesitamos recordar que antes de regresar al cielo el Señor Jesús prometió a sus discípulos que no les dejaría "huérfanos", sino que vendría a ellos (Juan 14:18). Cumplió aquella promesa mediante el envío del Espíritu (Hech. 2:33). Así es que todo lo que Cristo ahora hace en el mundo, lo hace por medio del Espíritu (Juan 16:13-15). "Sed llenos del Espíritu", entonces, realmente significa "sométanse continuamente al señorío de Jesús".

II. ¿Por qué decimos que ser "lleno del Espíritu" es la suprema obligación de todo creyente?

A. Lo decimos porque la plenitud del Espíritu nos capacita para cumplir toda obligación que nuestro Padre celestial nos imponga.

B. Tal vez alguien nos recuerde que Cristo mismo dijo que "el primer mandamiento de todos" es: "Escucha, Israel: el Señor vuestro Dios, el Señor uno es. Y amarás al Señor tu Dios con todo tu corazón, con toda tu alma, con toda tu mente y con todas tus fuerzas" (Mar. 12:28b-30). Es verdad; pero hay que recordar también que el amor es parte del "fruto del Espíritu" (Gál. 5:22), lo cual significa que es el Espíritu quien nos capacita para amar supremamente al Señor.

III. ¿Cómo podemos ser "llenos del Espíritu"?

A. Para contestar esta pregunta necesitamos recordar que parte íntegra de nuestra experiencia inicial de conversión fue nuestra sumisión al señorío de Jesús. Al convertirnos, tomamos sobre nosotros el yugo de Cristo (Mat. 11:28-39). Nos negamos a nosotros mismos en nuestra supuesta calidad de rey (interprétese Mat. 16:24 a la luz de Hech. 3:14 y Juan 19:14, 15), y tomamos como Rey a Jesús (Juan 1:49; Mat. 21:5; Apoc. 15:3). Así fue que en el instante de nuestra conversión recibimos el Espíritu (Gál. 4:6) y lo recibimos en toda su plenitud, porque "Dios no da el Espíritu por medida" (Juan 3:34b). Así es como la vida cristiana siempre comienza.

B. Necesitamos recordar también que cuando cometemos cualesquier pecado después de nuestra conversión, hacemos dos cosas:
   1. Repudiamos el señorío de Cristo en relación con el asunto de que se trate.
   2. Y "entristecemos al Espíritu" (Ef. 4:30), interrumpiendo su plenitud en nuestras vidas.

C. Por tanto, para recuperar la plenitud del Espíritu que nos ha sido retirada, necesitamos hacer lo que nos indica Juan 7:37-39 [léase].
   1. Necesitamos tener sed, o sea reconocer la esterilidad espiritual producida por nuestro pecado, y anhelar recuperar la retirada plenitud.
   2. Necesitamos limpiar el vaso con un sincero arrepentimiento, recordando que Dios está dispuesto a llenar toda clase de vasos menos un vaso sucio.
   3. Necesitamos "entregar el vaso" o sea volver a someternos al señorío de Jesús.
   4. Y, finalmente, necesitamos beber, o sea aceptar por fe la recuperación de la plenitud que habíamos perdido.
   5. Cuando hayamos cumplido estas cuatro condiciones, entonces, como en el caso de los diez leprosos de Lucas 17:14b, mientras caminamos en renovada obediencia al Señor, nos daremos cuenta de que la suspendida plenitud ha sido recuperada.

Digámoslo otra vez: ¡La suprema obligación de todo creyente es la de ser continuamente lleno del Espíritu! De esto depende tanto nuestra propia efectividad como siervos de Jesucristo, como el avance evangelístico y misionero del reino de Dios en el mundo entero. ¿Estamos dispuestos a cumplir las condiciones que exige nuestro Padre celestial para conferirnos esta indispensable plenitud? Si es así, manifestémoslo con pasar al frente y estrechar la mano de nuestro pastor mientras cantamos el himno de invitación.[2]

---

[1]En este mandamiento el verbo griego traducido "sed llenos" es un imperativo en voz pasiva y *tiempo presente*, lo cual indica que realmente debiera traducirse: "Sed continuamente llenos del Espíritu." No se trata de un evento aislado, sino de una condición perenne.

[2]Sugiero del *Himnario Bautista* (Casa Bautista de Publicaciones, 1978) los himnos Núms. 134, 135, 138 o 140.

CARACTERISTICAS DE UN MINISTERIO CRISTIANO FRUCTIFERO

1 Tesalonicenses 2:1-12

El relato del segundo viaje misionero de Pablo se halla en Hechos 15:36-18:22. Acompañado por Silas, Pablo recorrió Siria y Cilicia, "fortaleciendo a las iglesias" que habían sido fundadas durante su primer viaje. Al llegar a Listra, invitó al joven Timoteo a unirse con ellos. Luego, no pudiendo entrar en las provincias de Asia y Bitinia, llegaron a Troas. Allí se unió con ellos el médico Lucas, y "se le mostró a Pablo una visión en la que un hombre de Macedonia" le decía: "¡Pasa a Macedonia y ayúdanos!" En seguida los cuatro pasaron a Filipos, donde el impacto de su testimonio provocó persecución, pero dejó establecida una iglesia vigorosa.

De Filipos Pablo, Silas y Timoteo fueron a Tesalónica. Allí su estancia fue drásticamente acortada por la fuerza de la oposición judaica. *Pero a pesar de su brevedad, Pablo pudo decir que el ministerio efectuado en Tesalónica "no fue en vano", lo cual significa que sí fue fructífero.*

De acuerdo, pues, con la actuación de Pablo y sus compañeros en Tesalónica, ¿cómo se caracteriza un ministerio cristiano fructífero?

I. Por el denuedo.

A. El caso de Pablo y sus compañeros en Tesalónica (1 Tes. 2:2).
B. Otros casos fueron: (1) El ministerio de Pedro y Juan en Jerusalén, Hech. 4:13. (2) El ministerio de todos los apóstoles en Jerusalén, Hech. 4:29, 31; y (3) El ministerio de Pablo en Asia, Hech. 19:8-10.

II. Por el anhelo de agradar a Dios.

A. El caso de Pablo y sus compañeros en Tesalónica (1 Tes. 2:3-6).
B. Otros casos fueron: (1) El ministerio de Pablo a los Gálatas (Gál. 1:10); y (2), supremamente, el ministerio terrenal de Cristo mismo (Juan 8:29).

III. Por el amor.

A. El caso de Pablo y sus compañeros en Tesalónica (1 Tes. 2:7, 8). Nótese tanto la *ternura* (v. 7) como la *intensidad* (v. 8) de su amor.
B. Todo verdadero amor "es de Dios" (1 Jn. 4:7) porque Dios mismo "es amor" (1 Jn. 4:7, 16b). Por Romanos 5:5 sabemos que Dios nos comunica su amor por medio del Espíritu. Y Gálatas 5:22, 23 indica que el "fruto" que el Espíritu entonces produce en nosotros es "amor, gozo, paz, paciencia, benignidad, bondad, fe, mansedumbre y dominio propio".
C. Respecto a este "fruto" se ha dicho bien que: "*El gozo* es la alegría del amor; *la paz* es la confianza del amor; *la paciencia* es la serenidad

del amor; *la benignidad* es la solicitud del amor; *la fe*, (mejor: *fidelidad*) es la constancia del amor, la mansedumbre es *la dignidad* del amor; y *la templanza* (mejor: *el dominio propio*) es la conquista del amor."[1] Así es que cuando permitimos que el Espíritu nos llene (nos gobierne), él produce en nosotros cada una de estas siete facetas del amor de Dios.

IV. Por el arduo trabajo.

A. El caso de Pablo y sus compañeros en Tesalónica (1 Tes. 2:9).
B. Todo creyente está obligado a trabajar por su propio sostenimiento material (2 Tes. 3:6-12). Pero es obligación de las iglesias sostener decorosamente a sus pastores para que éstos puedan dedicarse a trabajar arduamente por el crecimiento de la congregación (1 Tim. 5:17, 18).

V. Por la santidad.

A. El caso de Pablo y sus compañeros en Tesalónica (1 Tes. 2:10).
B. Si Dios espera santidad de todo su pueblo (2 Cor. 7:1; Heb. 12:10, 14; 1 Ped. 1:15, 16), ¡cuánto más de los que hemos sido llamados para servir como guías espirituales! Recordemos que a los hipócritas fariseos Cristo dijo: "Si el ciego guía al ciego, ambos caerán en el hoyo" (Mat. 15:14).

VI. Por la urgencia.

A. El caso de Pablo y sus compañeros en Tesalónica (1 Tes. 2:11, 12). Nótense los verbos "exhortaba, animaba e insistía". Cada uno de estos términos implica urgencia.
B. Esta urgencia debe manifestarse tanto en nuestra presentación del evangelio a los perdidos (Hech. 2:40) como en nuestros esfuerzos por ayudar a nuestros hermanos en su crecimiento espiritual (Gál. 4:19, 20).

Nuestro amado Salvador ha dicho: "Vosotros no me elegisteis a mí; mas bien, yo os elegí a vosotros, y os he puesto para que vayáis y llevéis fruto, y para que vuestro fruto permanezca; a fin de que todo lo que pidáis al Padre en mi nombre él os lo dé." (Juan 15:16). ¡Oremos, pues, los unos por los otros, en la confianza de que nuestros distintos ministerios serán bendecidos por Dios! Y en demostración de una renovada consagración a la tarea a que hemos sido llamados, unámonos en el canto del himno, "Salgamos fieles, a anunciar."[2]

---

[1]Oswald Sanders, *The Holy Spirit and His Gifts* (Grand Rapids: Zondervan Publishing House, 1970), Pág. 147. Traducción del autor.
[2]G. V. de Rodríguez, "Salgamos fieles, a anunciar", Núm. 286 *Himnario Bautista*. (Casa Bautista de Publicaciones).

¡TAN GRANDE SALVACION!

Hebreos 2:2-9

El propósito de la Epístola a los Hebreos fue ayudar a los creyentes judíos a resistir los esfuerzos que hacían sus hermanos de raza para persuadirles a regresar a "la religión de sus padres". Para lograr este propósito el escritor expuso varias maneras en que la fe cristiana es superior al judaísmo. Primero destacó la finalidad de la revelación dada por medio del Hijo (1:1-3). Luego demostró la superioridad de Jesús sobre los ángeles (1:4-2:18). En medio de esta parte de su argumento leemos lo siguiente:

"Pues si la palabra dicha por los ángeles fue firme, y toda transgresión y desobediencia recibió justa retribución, ¿cómo escaparemos nosotros si descuidamos *una salvación tan grande*? Esta salvación, que al principio fue declarada por el Señor, nos fue confirmada por los que oyeron, dando Dios testimonio juntamente con ellos con señales, maravillas, diversos hechos poderosos y dones repartidos por el Espíritu Santo según su voluntad. Porque no fue a los ángeles a quienes Dios sometió el mundo venidero del cual hablamos. Pues alguien dio testimonio en un lugar, diciendo:

"¿Qué es el hombre, para que te acuerdes de él, o el hijo del hombre, para que tengas cuidado de él? Le has hecho por poco tiempo menor que los ángeles; le coronaste de gloria y de honra; todas las cosas sometiste debajo de sus pies.

"Al someter a él todas las cosas, no dejó nada que no esté sometido a él. Pero ahora no vemos todavía todas las cosas sometidas a él. Sin embargo, *vemos a Jesús, quien por poco tiempo fue hecho menor que los ángeles, coronado de gloria y honra por el padecimiento de la muerte, para que por la gracia de Dios gustase la muerte por todos.*" (Heb. 2:2-9).

Entre otras cosas, *este pasaje indica que la salvación obrada por Jesús es grande*. De acuerdo, pues, con la enseñanza general del Nuevo Testamento, ¿en qué consiste la grandeza de la salvación obrada por Jesús?

I. Consiste en el perdón que provee para nuestro pasado.

A. El pecado no es cosa ligera. Es transgresión de la ley divina. Es rebelión contra la autoridad divina. Es menoscabo de la sabiduría divina. Y es menosprecio del amor divino. Así es que, como reos ante el tribunal de la majestad divina quedamos todos convictos del pecado (Rom. 3:23 e Isa. 53:6).

B. Pero Dios nos ofrece perdón (Isa. 1:18 y Miq. 7:18, 19). ¡Hay perdón en Jesús! El expía la culpa de nuestras transgresiones. El cubre la vergüenza de nuestro pecado. El emblanquece la mancha de nuestra iniquidad, y en la profundidad del océano de su amor sepulta para siempre el recuerdo de todo (Miq. 7:18, 19).

II. Consiste en el poder que provee para nuestro presente.

A. No hay vida humana que no tenga problemas. En medio de las calamidades que le sobrevinieron, el patriarca Job exclamó: "Ciertamente la aflicción no sale del polvo, ni el sufrimiento brota de la tierra. Pero el hombre nace para el sufrimiento, así como las chispas vuelan hacia arriba" (Job 5:6, 7). ..."El hombre, nacido de mujer, es corto de días y lleno de tensiones" (Job 14:1). Y el Salmista dijo: "Los días de nuestra vida son setenta años; y en los más robustos, ochenta años. La mayor parte de ellos es duro trabajo y vanidad; pronto pasan, y volamos" (Sal. 90:10). Y la experiencia universal de la raza corrobora estos testimonios.

B. Pero no hay que desfallecer. Dios mismo ha venido a prestarnos la mano. En la persona de su Hijo se hizo hombre. Fue tentado en todo, como nosotros, pero nunca pecó. Venció al mundo, y en la victoria suya va incluida victoria para nosotros también. Ha hecho morar en nosotros su Espíritu y ahora podemos decir con Pablo que "la ley del Espíritu de vida en Cristo Jesús me ha librado de la ley del pecado y de la muerte" (Rom. 8:2), y "¡todo lo puedo en Cristo que me fortalece!" (Fil. 4:13).

III. Consiste en la paz que provee para nuestro porvenir.

A. La incertidumbre respecto al porvenir ha atemorizado a muchos. Pero "puesto que los hijos han participado de carne y sangre, de igual manera él (Cristo) participó también de lo mismo, para destruir por medio de la muerte al que tenía el dominio sobre la muerte (éste es el diablo), y para librar a los que por el temor de la muerte estaban toda la vida condenados a esclavitud" (Heb. 2:14, 15).
B. La noche antes de su crucifixión el Divino Maestro dijo a sus discípulos: "No se turbe vuestro corazón. Creéis en Dios; creed también en mí. En la casa de mi Padre muchas moradas hay. De otra manera os lo hubiera dicho. Voy, pues, a preparar lugar para vosotros. Y si voy y os preparo lugar, vendré otra vez y os tomaré conmigo; para que donde yo esté, vosotros también estéis" (Juan 14:1-3).
C. En la sombra del patíbulo romano el apóstol Pablo dijo: "él (Cristo Jesús) anuló la muerte y sacó a la luz la vida y la inmortalidad por medio del evangelio, del cual he sido puesto como predicador, apóstol y maestro. Por esta razón padezco estas cosas, pero no me avergüenzo; porque sé a quien he creído, y estoy convencido de que él es poderoso para guardar mi depósito para aquel día" (2 Tim. 1:10b-12).

¿Ya es suya esta grande salvación? ¿Tiene ya el perdón de sus pecados, poder para vencer sus tentaciones y paz respecto a su eterno porvenir?

Puede tenerlos. Sólo necesita arrepentirse de sus pecados y recibir por fe a Cristo como dueño y guía de su vida. No se trata de aceptar un credo sino de recibir una persona. Esta persona ya está llamando a la puerta de su corazón. ¿Le dejará entrar? Si esta es su decisión le invito a manifestarlo con levantar su mano o pasar al frente mientras cantamos el himno de invitación.[1]

---

[1]William T. Sleeper, "Vengo Jesús a ti", Núm. 187 *Himnario Bautista* (Casa Bautista de Publicaciones).